DETLEF GIESE

Verdi
Aida

Weitere Bände der Reihe **OPERNFÜHRER KOMPAKT:**

Robert Maschka ▪ Beethoven ▪ Fidelio

Clemens Prokop ▪ Mozart ▪ Don Giovanni

Olaf Matthias Roth ▪ Puccini ▪ La Bohème

Detlef Giese ist Dramaturg für Oper und Konzert an der Staatsoper Unter den Linden in Berlin. Neben seiner Monografie *Espressivo versus (Neue) Sachlichkeit. Studien zu Ästhetik und Geschichte der musikalischen Interpretation* veröffentlichte er Aufsätze sowie zahlreiche Programmheftbeiträge. Mehrere Jahre war er als wissenschaftlicher Mitarbeiter am Musikwissenschaftlichen Seminar der Humboldt-Universität Berlin tätig. Er gestaltet Rundfunksendungen, hält Opern- und Konzerteinführungen und moderiert musikalische Veranstaltungen.

OPERNFÜHRER KOMPAKT

DETLEF GIESE

Verdi
Aida

Bärenreiter
HENSCHEL

Bibliografische Information der Deutschen Nationalbibliothek
Die Deutsche Nationalbibliothek verzeichnet diese Publikation in der Deutschen Nationalbibliografie; detaillierte bibliografische Daten sind im Internet über www.dnb.de abrufbar.

Gemeinschaftsausgabe der Verlage Bärenreiter, Kassel, und Seemann Henschel GmbH & Co. KG, Leipzig
Umschlaggestaltung: Carmen Klaucke, Berlin, unter Verwendung eines Fotos von Marion Schöne / Stiftung Stadtmuseum Berlin (»Aida«, Staatsoper Unter den Linden, Berlin 1995)
Lektorat: Ilka Sührig
Innengestaltung: Dorothea Willerding
Satz: EDV + Grafik, Christina Eiling, Kaufungen
Korrektur: Kara Rick, Eberbach
Notensatz: Tatjana Waßmann, Winnigstedt
Druck und Bindung: CPI – Ebner & Spiegel, Ulm
ISBN 978-3-7618-2226-5 (Bärenreiter) ▪ ISBN 978-3-89487-903-7 (Henschel)
www.baerenreiter.com ▪ www.henschel-verlag.de

Inhalt

»Aida« – Monumentalität und Innerlichkeit

In dem berühmten Kapitel »Fülle des Wohllauts« aus seinem Jahrhundertroman *Der Zauberberg* lässt Thomas Mann seinen Helden Hans Castorp die Faszination von Verdis *Aida* erleben. Unter den zahlreichen Grammofonplatten, die der Protagonist auf dem Berghof – entweder allein oder in Anwesenheit anderer Sanatoriumspatienten – immer wieder auflegt, gehören diejenigen, auf denen die Schlussszenen einer bekannten Oper des »Altmeisters der dramatischen Musik des Südens« aufgezeichnet sind, zu den am meisten geschätzten. Nicht satthören kann er sich an jenem »pompösen, von melodiösem Genie überquellenden Opernwerk«. Zum einen sind es die großartigen Stimmen, die ihn stets aufs Neue in Bann ziehen: der »unvergleichliche Tenor«, der »fürstliche Alt« und der »silberne Sopran«. Und zum anderen entwickelt Hans Castorp, je tiefer er in das Werk eintaucht, eine wie selbstverständlich erscheinende »Sympathie« für die Figuren und Situationen der Oper, eine beständig wachsende »vertrauliche Anteilnahme«.

In der Tat: Leicht erliegt man der Magie von Verdis Musik. Zweifellos gehört *Aida* zu jenen Werken des Kernrepertoires der Opernliteratur, die sich einer besonderen Beliebtheit erfreuen – und zwar im internationalen Maßstab. Nicht nur in Italien und in den Ländern, in denen die italienische Oper traditionell eine gewisse Dominanz besitzt, sondern auch im deutschsprachigen Raum, in Frankreich, Großbritannien und Nordamerika, war und ist *Aida* regelmäßig – und das mit großer Resonanz – auf den großen Bühnen präsent. Der zu einer allgemein verständlichen, dramatisch stringenten Handlung zugerichtete Stoff, in dem das »Exotische« eine maßgebliche Rolle spielte, hatte daran gewiss seinen Anteil, in erster Linie aber die Musik, die mit einer – gemessen am Stand des fortgeschrittenen

19. Jahrhunderts – fast beispiellosen gestalterischen Vielfalt und klanglichen Raffinesse aufwartete und ihre Wirkung keineswegs verfehlte.

Zwei sehr unterschiedliche Seiten scheinen in dieser Musik vereinigt zu sein, zwei gegensätzliche Tendenzen, die nicht selten unvermittelt nebeneinanderstehen: Neben Szenen von plakativ ausgestellter Monumentalität sind ebenso Passagen von ausgesprochener Lyrik, in denen sich die vormals so veräußerlicht wirkende Expressivität in innerlichen Ausdruck von großer Intensität wandelt, in die Oper eingegangen. Die ebenso klanggewaltigen wie personell aufwendigen Tableaus, die für gewöhnlich mit kolossalen musikalischen Aufschwüngen einhergehen, weisen *Aida* als ein Werk im Fahrwasser der Grand opéra aus, während die merklich zurückgenommenen, transparenten und wie schwerelos wirkenden Partien eine völlig andere Welt eröffnen: eine Welt, in der die Figuren gleichsam zu sich selbst kommen, abseits jeglichen Rollen- und Statuszwangs, der ihnen das öffentliche und religiöse Leben auferlegt, in der sie als Individuen Kontur gewinnen und ihre Emotionen unverfälscht zum Ausdruck bringen. In den lyrischen Szenen scheinen die drei Hauptgestalten Aida, Amneris und Radames ganz bei sich zu sein, setzen sich in wechselnden Konstellationen miteinander ins Verhältnis, arbeiten sich aneinander ab, ohne dass sie es letztlich vermögen, die Verstrickungen, in denen sie gefangen sind, zum eigenen Wohl und Wehe aufzulösen. In keinem anderen Werk ist Verdi eine Verschmelzung der verschiedenen Stile, Genres und kulturellen Prägungen – von italienischem Melodramma, französischer Grand opéra und deutschem Musikdrama – so gelungen wie in *Aida*.

So vielschichtig und kontrastreich sich die Musik auch zeigt, so konventionell, geradezu holzschnittartig ist die Handlung entworfen. Wenn man das sich abspielende Drama auf sein Gerüst zurückführt, so entdeckt man eine im Grunde recht einfach konstruierte Dreiecksgeschichte. Von Anfang an sind die Konflikte klar umrissen, von Anfang an ist auch der tragische Ausgang vorprogrammiert. An nicht wenigen Punkten vermittelt sich der Eindruck, dass die Figuren sich ihrem Schicksal ohne stärkere Gegenwehr ergeben. Sie füllen lediglich die Funktionen aus, die ihnen vom Dramenverlauf vorgegeben sind, kaum einmal durchbrechen sie stereotype Verhaltensweisen. Um zu wirklichen *Charakteren*, wie sie Verdi in vielen seiner Opernwerke so überzeugend auf die Bühne gebracht hat, zu werden, bedurfte es einer enorm ausdifferenzierten Musik, mit deren Hilfe das komplexe Seelenleben der Protagonisten Ausdruck gewann. Die große Sorgfalt, die Verdi auf die Kennzeichnung der emotionalen Verfasstheit seiner Figuren offenkundig verwandt hat, macht eine der wesentlichen Qualitäten von *Aida* aus.

Jedenfalls kommt der Zuhörer (bzw. Zuschauer) kaum umhin, mit den Personen, die ihm im Laufe des Stückes begegnen und die das dramatische Spiel Schritt für Schritt entfalten, mitzufühlen und mitzuleiden. Da die Handlung im Grunde zu jeder Zeit nachvollziehbar ist und ohne Unwahrscheinlichkeiten bzw. doppelte Böden auskommt, wird ein Großteil der Aufmerksamkeit auf das Innenleben der Figuren gelenkt, auf die zum Ausdruck gebrachten emotionalen Regungen. Sie bilden das notwendige Komplement zu den groß angelegten »Schauszenen«, die an markanten Stellen der Partitur positioniert sind. Identifikation wird auf diese Weise möglich, gerade wenn es um das sprichwörtliche Schlagen der zwei Herzen in der einen Brust geht. Die unauflösbare Spannung, das Hin- und Hergerissensein zwischen Wunsch und Notwendigkeit, zwischen Liebe und Pflicht, haben Opernheldinnen und -helden beileibe nicht exklusiv: Derartige Dinge sind – zu Verdis Zeiten ebenso wie in unserer Gegenwart – vielfach ein Bestandteil realen Erlebens.

Die auffällige Simplizität und gute Überschaubarkeit der Handlung lässt Raum für eine hochgradig differenzierte Musik, für die Erzeugung besonderer atmosphärischer Wirkungen. Das ägyptische Dekor war dabei von Anfang als zentrales Element vorgesehen, nicht zuletzt auch für die Musik: Verdi hatte sich beizeiten dafür entschieden, orientalisch anmutende Klänge mit einzukomponieren. Die im 19. Jahrhundert vor allem in Frankreich aktuelle Mode des Exotismus scheint hier Pate gestanden zu haben. Dennoch ging es Verdi nicht um spezielle klangliche Reize in selbstzweckhaftem Sinne, sondern um das Einbringen einer zusätzlichen dramatischen Tiefenschärfe, die nur dann zu erreichen war, wenn die jeweiligen Orte des Geschehens möglichst plastisch musikalisch imaginiert wurden. Und da die Oper nun einmal in Ägypten spielte, sollte die zur Verfügung stehende Tonpalette auch entsprechend eingesetzt werden.

Ein weiteres hervorstechendes Merkmal von *Aida* ist der vergleichsweise hohe Anteil an Repräsentationsszenen, sei es nun in sakralen Kontexten oder in Form einer klanglich ausladenden, mitunter reichlich pathetisch daherkommenden »Staatsmusik«, die im sogenannten »Triumphmarsch« ihr Musterbeispiel besitzt. Auch wenn *Aida* insgesamt häufig genug mit diesen ebenso effektvollen wie einprägsamen Klängen identifiziert worden ist (die Ausstattungsorgien und Massenaufläufe, die bei zahlreichen Inszenierungen dieser Oper en vogue waren und sind, werfen ein bezeichnendes Licht darauf), so erschöpft sich das Werk doch keineswegs darin. Angesichts des geradezu überwältigenden Eindrucks, den die einschlägigen Szenen erzielten, bestand zwar die Gefahr, dass die weniger monumental angelegten Teile in den Hintergrund geraten – dennoch war man sich über die wesenhaft anderen, lyrischen Qualitäten des Werkes durchaus bewusst. Bemerkenswert etwa ist, dass auf dem Zauberberg der Triumphmarsch (der für sich genommen ja durchaus eine genial erfundene, technisch hervorragend ausgeführte und in Szene gesetzte Musik ist) nicht vertreten ist – auf keiner der im Sanatorium verfügbaren Schallplatten ist er zu finden.

Der Verzicht auf dieses über die Maßen populäre Stück ermöglicht den Blick auf die unbekannteren, aber gleichwohl ebenso entscheidenden Seiten der Partitur: Nicht von ungefähr sind es die Schlussszenen der Oper, die bei den abendlichen bzw. nächtlichen Hörsitzungen klanglich vergegenwärtigt werden und die Hans Castorp ungemein berühren, offenbar bis in sein Innerstes hinein. Die Macht der Musik, ihre Fähigkeit, die Phänomene der profanen Welt zu verwandeln, konnte er hier unverstellt erfahren, vor allem bei dem verlöschenden, für eine Grand opéra so untypischen Finale: »Was er aber letztlich empfand, verstand und genoß, (...), das war die siegende Idealität der Musik, der Kunst, des menschlichen Gemüts, die hohe und unwiderlegliche Beschönigung, die sie der gemeinen Gräßlichkeit der wirklichen Dinge angedeihen ließ.«

Unzweifelhaft ist *Aida* eine wahrhaft »große Oper«, die Verdis ausgeprägten musikdramatischen Instinkt ebenso bezeugt wie seine kompositorische Souveränität, die es ihm erlaubte, eine Musik von enormer satztechnischer Meisterschaft, außergewöhnlicher Schönheit und eindringlichen Ausdruckswirkungen zu schreiben. In jedem Falle sprechen die anhaltende Beliebtheit beim Publikum und die unverändert hohen Aufführungszahlen für das Werk, für seine herausragende künstlerische Qualität. Und die fortgesetzte interpretatorische Auseinandersetzung mit ihm, sei es musikalisch oder szenisch, demonstriert auf nachdrückliche Weise, dass es sich mitnichten um ein eindimensionales Stück handelt, dem mit immer gleichen Ansätzen beizukommen ist. Gerade die vergangenen Jahrzehnte haben eine Vielfalt an Annäherungen gezeitigt, die deutlich machen, dass *Aida* auch jenseits eines Denkens im Sinne der Grand opéra mit ihren forcierten Klangkräften und ihrem hohen Aufwand an Personal überzeugend realisierbar ist. Sofern Dirigenten, Sänger und Regisseure auch weiterhin nach originellen Lösungen suchen, um Verdis Meisterwerk zur Aufführung zu bringen, erscheint die Prognose nicht allzu gewagt, dass *Aida* auch in Zukunft auf den Opernbühnen der Welt eine bedeutsame Rolle spielen wird.

Verdis Leben und Werk im Spiegel seiner Zeit

Keinem Komponisten war es zuvor gelungen, über einen so langen Zeitraum eine derart überragende Position in der Operngeschichte Italiens zu behaupten wie Giuseppe Verdi. Mehr als ein halbes Jahrhundert wurde er als *die* Zentralgestalt des italienischen Musiklebens angesehen. Seit seinem spektakulären Durchbruch mit *Nabucco* (uraufgeführt 1842 an der Mailänder Scala) war ihm – trotz einiger zwischenzeitlicher Tiefs – der Erfolg treu geblieben. Spätestens ab der Mitte des 19. Jahrhunderts galt er unbestritten als der führende Opernkomponist seines Landes (und zudem auch als einer der prominentesten europäischen Künstler), dessen Werke neue ästhetische Leitlinien setzten, an denen sich die Zeitgenossen und die Komponisten folgender Generationen orientieren konnten.

Der Opernstil Verdis, so individuell er der Nachwelt auch erscheinen mag, entwickelte sich keineswegs im luftleeren Raum, sondern basierte auf vielfachen Einflüssen: prägenden Personen ebenso wie strukturellen Bedingungen, die dem allgemeinen Charakter und den speziellen Praktiken der italienischen Opernkultur geschuldet sind. Der Wunsch des Publikums nach immer neuen Werken wurde auf der Seite der Produzenten (zu denen die für den künstlerischen Betrieb und die Finanzen verantwortlichen Theaterdirektoren ebenso gehörten wie die Librettisten und Komponisten) zum Zwang, in oft sehr kurzen Zeitabständen Uraufführungen zu präsentieren – die kommerzielle Fundierung des Opernwesens, die bereits seit dem mittleren 17. Jahrhundert in Italien eine zentrale Rolle gespielt hatte, war zu Beginn von Verdis Karriere ein Faktum, an dem weder die Künstler noch die Organisatoren vorbeikamen.

Die sogenannten »Galeerenjahre«, von denen Verdi 1858 im Blick auf sein frühes, allein quantitativ beeindruckendes Opernschaffen gesprochen hatte, sind beredter Ausdruck für die von ihm zu akzeptierende Notwendigkeit, den mehr oder minder lukrativen Markt zu bedienen und sich auf die allgemein üblichen Verhältnisse am Theater – zu denen nicht zuletzt die Vorherrschaft der Sänger und Impresarios gehörte – einzulassen. Im Gegensatz zu zahlreichen, heute vielfach vergessenen Komponisten profitierte Verdi immerhin von diesem in seinen Grundzügen zweifellos selbstausbeuterischen System. Der nicht unbeträchtliche materielle Wohlstand und die außergewöhnlich hohe öffentliche Anerkennung, die er schließlich aus seiner Arbeit zu ziehen vermochte, sind jedoch nur eine Seite der Medaille. Der Preis dafür war hoch genug: Schon der gewählte Begriff »Galeerenjahre« deutet auf die Entbehrungen hin, die Verdi – der sich zu dieser Zeit keinesfalls mehr in einem allzu jugendlichen Alter befand – um des momentanen wie zukünftigen Erfolges willen auf sich nahm.

In rasantem Tempo war vom Ende der 1830er- bis in die Mitte der 1850er-Jahre ein Werk nach dem anderen entstanden. Danach verlangsamte sich Verdis Schaffensfrequenz spürbar – zum einen aufgrund seiner inzwischen ausgesprochen prominenten, ja privilegierten Stellung als Opernkomponist, zum anderen wegen seiner Bestrebungen, jedem Werk seine ganz individuelle Gestalt zu geben, es mit größtmöglicher Sorgfalt auszuarbeiten, hinsichtlich der Wahl des Sujets und der Formulierung des Librettos ebenso wie im Blick auf die Gestaltung der Partitur und auf die Ideen zu seiner szenischen Umsetzung. Je weiter seine Laufbahn fortschritt, umso länger wurden auch die Phasen, die zwischen der Vollendung und Aufführung einer Oper und der Fertigstellung der folgenden lagen. Es kam Verdis Mentalität und Schaffensweise sicherlich entgegen, nicht mehr so atemlos wie zuvor Werk für Werk produzieren zu müssen, sondern Gelegenheit zu haben, Konzeption und Ausgestaltung noch einmal überdenken und gegebenenfalls revidieren zu können. Und selbst Jahre völligen Schweigens und den Abbruch von einmal initiierten und bereits relativ weit fortgeschrittenen Projekten konnte er sich leisten, ohne Gefahr zu laufen, seinen Status als Nr. 1 der italienischen Opernkomponisten einzubüßen.

Wenngleich man nicht verkennen sollte, dass gerade der reife Verdi wiederholt in tiefe Krisen geriet, die sich unmittelbar auf seine Kreativität auswirkten, so war er sich doch seines Wertes durchaus im Klaren und sein Selbstbewusstsein keineswegs unterentwickelt. Dass er überaus sensibel auf die Unzulänglichkeiten des Opernbetriebes reagierte und sich genötigt sah, offenkundige Missstände wiederholt anzuprangern, spricht für die Verantwortung, die er den Werken gegenüber empfand. Schlecht vorbereitete Inszenierungen, nervenaufreibende Sängerallüren, ärgerliche

Lässigkeiten im Orchesterspiel sowie mangelnder Einsatz im Dienste der Sache waren ihm zuwider – oft hat Verdi mit harschen Worten seinem Unbehagen gegenüber diesen Dingen Ausdruck gegeben. Seine Reformbemühungen, so ernsthaft er sie auch vorantrieb, hatten indes nur wenig Aussicht auf durchschlagenden Erfolg: Ein geschichtlich gewachsenes, hochgradig komplexes System hätte in vielen Punkten grundlegend neu organisiert werden müssen, ein System immerhin, das auch Verdi selbst erst groß gemacht hatte.

Vorgänger und Wegbereiter

Verdi 1842, zur Zeit des »Nabucco«. Durch den Erfolg seines dritten Opernwerkes wurde der 28-jährige Komponist zu einer europäischen Berühmtheit.

Als Verdi mit seinem Erstlingswerk *Oberto* am Ende der 1830er-Jahre auf den Plan trat, wurden die Spielpläne der italienischen Opernhäuser in erster Linie von vier Komponisten beherrscht: von Gioachino Rossini (1792–1868), Vincenzo Bellini (1801–1835), Gaetano Donizetti (1797 bis 1848) und Saverio Mercadante (1795 bis 1870). Sie alle besaßen einen maßgeblichen Einfluss auf die künstlerische Physiognomie des späteren Opernmeisters Verdi, prägten sein Handwerk ebenso wie seine Ästhetik. Nur zwei von ihnen waren zum Zeitpunkt von Verdis Debüt überhaupt noch aktiv: Rossini hatte sich nach dem für die Pariser Opéra geschriebenen *Guillaume Tell* (1829) aus dem Operngeschäft zurückgezogen (und hatte Italien ohnehin bereits sechs Jahren zuvor verlassen), während Bellini sich schon gar nicht mehr unter den Lebenden befand. Im Zenit seines Ruhmes stehend war er im Alter von nicht einmal 34 Jahren gestorben – mit seinem Tod hatte die italienische Oper einen herben Verlust erlitten. Der ungemein produktive Donizetti, der mit seinen tragischen wie komischen Bühnenwerken (*Lucia di Lammermoor* und *L'elisir d'amore* mögen exemplarisch dafür stehen) an vielen Orten in- und außerhalb Italiens präsent war, wurde hingegen durch Verdi schon bald in die zweite Reihe verwiesen, desgleichen Mercadante, der gegen Ende der 1830er-Jahre mit *Il giuramento* und *Il bravo* seine größten Erfolge feiern konnte. Es ist durchaus erstaunlich, dass der Ruhm dieser beiden von Verdi im Übrigen hoch geschätzten Komponisten, zu denen er auch wiederholt den persönlichen Kontakt suchte, so rasch verblasste. In Verdis Musik hingegen erspürte das zeitgenössische Publikum offensichtlich einen neuen Ton, eine neue dramatische Intensität und eine elementar wirksame Ausdruckskraft, sodass seine Werke spätestens ab der Mitte des 19. Jahrhunderts zum Inbegriff der italienischen Oper wurden.

Allen vieren seiner Vorgänger verdankte Verdi eine Fülle von Anregungen. Durch intensives Partiturstudium, aber auch durch zahlreiche Vorstellungsbesuche war Verdi mit den einschlägigen Werken des Repertoires vertraut geworden – mit bemerkenswertem Fleiß und Eifer eignete er sich wertvolle Kenntnisse und Fertigkeiten an, um imstande zu sein, die gängigen formalen und stilistischen Anforderungen, die man an eine italienische Oper stellte, auch erfüllen zu können. Die Art und Weise jedoch, wie er sich an den besagten Künstlern orientierte, war sehr unterschiedlich. Nicht immer waren es unmittelbare Einflüsse, die geltend gemacht werden können: Häufiger noch dürften ihn Rossini, Bellini, Donizetti und Mercadante eher indirekt inspiriert haben, etwa durch ihr Gespür für szenische Wirkungen, ihren originellen Umgang mit den Sujets und den daraus geformten Libretti, die pure Schönheit der von ihnen ins Werk gesetzten Musik oder durch die souveräne Beherrschung des vielköpfigen Aufführungsapparates mit Haupt- und Nebensolisten, Chor und Orchester. Dass der junge Verdi trotzdem beizeiten seinen eigenen Weg fand und ihn konsequent verfolgte, ist keinesfalls als Abkehr von seinen erklärten Vorbildern zu begreifen, sondern als notwendiger Schritt zur gewünschten künstlerischen Selbstständigkeit, fernab jeglichen Epigonentums.

Auch wenn aus heutiger Sicht die Kluft zwischen Rossini und Verdi eher groß erscheint – hier der Meister der Opera buffa, der temporeichen musikalischen Komödie, dort der große Tragiker der Opernliteratur, der sich um die Bewältigung von anspruchsvollen Stoffen bemühte –, so liegt doch in der Verwendung eines gemeinsamen Formenarsenals eine gewisse Schnittmenge. Insbesondere der frühe Verdi bediente sich derjenigen Modelle, die Rossini in den Jahren ab ca. 1810 in die italienische Oper eingeführt hatte und die seither zur Norm geworden waren. Wie Rossini seine Szenenfolgen konstruierte, wie er Solostücke, Duette und Ensembles in eine stimmige Gesamtarchitektur einfügte, studierte Verdi genau. In seinen eigenen Werken fanden derartige formale Ideen und Praktiken ihren Niederschlag – selbst bis hin zu einem späteren Werk wie *Aida*, das sich in seiner grundlegenden szenischen Disposition nicht zuletzt auch Rossinis ernster Oper *Semiramide* von 1823 verpflichtet zeigt.

In stärkerem Maße auf musikalische Belange bezogen sind die Einflüsse Vincenzo Bellinis. Seine hochexpressive Tonsprache, die ganz wesentlich auf schier endlosen Kantilenen von großer Eindringlichkeit und hohem melodischen Reiz basierte, war für Verdi ein entscheidender Faktor, ebenso die originelle Behandlung der Rezitative. Bekanntlich ist Bellini diesbezüglich stilbildend geworden, auch wenn ihm häufig vorgeworfen wurde, nur über ein sehr begrenztes, auf die Spielarten des Lyrischen konzentriertes Ausdrucksreservoir zu verfügen und insgesamt nur wenig kontrastreich zu komponieren. Verdi hat jedenfalls die gesteigerte Emotionalität, die in Bellinis Opernwerken – mit der 1831 uraufgeführten *Norma* an der Spitze, dem Hauptwerk der romantischen Oper italienischer Prägung – zutage trat, in seiner eigenen Musik oft genug ähnlich intensiv zur Erscheinung gebracht.

Weiter in die konkrete Formung des Bühnengeschehens hinein reicht die Wirkung von Gaetano Donizetti. Verdi beeindruckten vor allem die musikdramatischen Lösungen, die sein älterer Kollege bei Szenen angewendet hatte, die dazu dienten, sowohl die Situation, in der sich die Figuren gerade befanden, als auch deren Charakter zu erhellen. Donizetti verfügte über die Gabe, beides mit der nötigen Tiefenschärfe darzustellen. Gerade die Gestaltung der Finali aus einigen seiner zahlreichen Opern (etwa aus *Lucia di Lammermoor, Lucrezia Borgia* oder *Poliuto*) waren vorbildhaft für Verdi – und dass er an nicht wenigen Stellen deutlich spürbare Anklänge an Donizettis Musik, durchaus im Sinne von Reminiszenzen, in seine eigenen Opernpartituren integrierte, spricht für die insgesamt hohe Wertschätzung, die Verdi ihm entgegenbrachte.

Bewundert hat Verdi auch Saverio Mercadante, der im Gegensatz zu Rossini, Bellini und Donizetti kaum mehr als eine der prägenden Gestalten in der italienischen Operngeschichte – die er jedoch zweifellos war – im allgemeinen Gedächtnis verankert ist. Verdis unaufhaltsamer Aufstieg fiel mit Mercadantes zunehmender künstlerischer Stagnation zusammen – seit den 1840er-Jahren gingen von ihm kaum mehr Impulse auf die Entwicklung der Kunstform Oper aus. Zuvor hatte er jedoch tatkräftig Reformideen verfolgt, die im Grunde auf eine Überwindung der von Rossini begründeten Ästhetik hinausliefen. Es sollte indes Verdi vorbehalten sein, diese Intentionen zu verwirklichen: In Gestalt einer fruchtbaren Verbindung von genuin italienischen mit französischen Elementen (wofür paradigmatisch Rossini und Bellini auf der einen und Meyerbeer auf der anderen Seite einstehen können), wie sie bereits Mercadante angestrebt hatte, kristallisierte sich in vielen von Verdis Werken eine neue, zukunftsfähige Opernkunst heraus.

So sehr die in den 1830er-Jahren höchst innovative Stilistik der wesentlich von Meyerbeer geprägten Grand opéra auf Verdi auch einwirkte, so offenkundig ist es auch, dass die künstlerische Entwicklung Verdis in erster Linie – und in vielfältiger Weise – auf den Traditionen und Errungenschaften der italienischen Opernkultur fußt. Es schien nicht notwendig zu sein, etwas grundlegend neu »erfinden« zu müssen, da die zur Verfügung stehenden Modellen reichhaltige Möglichkeiten zu individueller Ausformung boten, wenn man sie nur ausreizte. Und zudem mag ihm das Bewusstsein, auf den Schultern der Älteren zu stehen, sich auf sie verlassen und an ihnen ausrichten zu können, Sicherheit gegeben haben – gerade am Beginn seiner Karriere, deren letztlich so erfolgreicher Verlauf in keiner Weise vorherzusehen war.

Von den Galeerenjahren bis zum Spätwerk

Verdi hatte gewiss das Glück, dass seine immense musikalische Begabung frühzeitig erkannt und systematisch gefördert worden ist – immerhin wurde ihm in Mailand, einem der Zentren des italienischen Musiklebens, eine fundierte Ausbildung ermöglicht, die ihn in die Lage versetzte, in das Operngeschäft einzusteigen und auf dem florierenden Musikmarkt seine Dienste anzubieten. Obwohl ihm nach dem Ende seiner Studien prinzipiell auch andere Wege offengestanden hätten, wie z. B. als professioneller Musiker zu arbeiten, entschied er sich für die aufreibende und durchaus risikoreiche Existenz eines Opernkomponisten.

Man verkennt Verdis künstlerische Leistung und sein Durchsetzungsvermögen nicht, wenn man ihm günstige, keineswegs selbstverständliche Startbedingungen attestiert. Bereits sein erstes vollendetes Bühnenwerk *Oberto* wurde 1839 am führenden Opernhaus Italiens, dem Teatro alla Scala di Milano, uraufgeführt – ungewöhnlich für einen nahezu unbekannten und in der Opernszene noch vollkommen »grünen« Komponisten. Die erfolgreiche Premiere brachte Verdi nicht nur die Gunst des Publikums ein, sondern auch ein Angebot des Verlagshauses Ricordi: Diese Verbindung sollte bis an Verdis Lebensende halten und ihm im Zusammenspiel mit den regelmäßigen Bühnenaufführungen seiner Werke und gelegentlich anfallenden Dirigierhonoraren Einkünfte sichern, die weit über das übliche Maß hinausgingen und ihm ein Leben in relativem Wohlstand erlaubten.

Während Verdi in späterer Zeit auf dem Gebiet der italienischen Oper keine ernsthafte Konkurrenz zu fürchten brauchte, musste er hingegen in den 1840er-Jahren alles daran setzen, sich als Komponist zu etablieren. Der Misserfolg seines zweiten Opernwerks, der Buffa *Un giorno di regno* (Mailand 1840) fiel kaum ins Gewicht, umso mehr allerdings im positiven Sinne der Triumph des 1842 ebenfalls auf der Bühne der Mailänder Scala in Szene gegangenen *Nabucco*. Diese vonseiten des Publikums wie der Kritik bejubelte Oper wurde zu Verdis Eintrittskarte in das große Geschäft: Anfragen und Aufträge kamen sowohl aus Italien als auch aus dem Ausland – Verdi begann sich national wie international durchzusetzen. Nach einem weiteren überaus erfolgreichen Werk für die Scala, *I Lombardi alla prima crociata* (1843), entstanden in kurzer Folge *Ernani* (Teatro La Fenice Venedig, 1844), *I due Foscari* (Teatro Argentina Rom, 1844), *Alzira* (Teatro San Carlo Neapel, 1845), *Giovanna d'Arco* (Teatro alla Scala Mailand, 1845), *Attila* (erneut La Fenice, 1846), *Macbeth* (Teatro della Pergola Florenz, 1847), *I masnadieri* (Covent Garden London, 1847), *Jérusalem* (eine umgearbeitete französische Fassung der *Lombardi* für die Pariser Opéra, 1847), *Il corsaro* (Teatro Grande Triest, 1848), *La battaglia di Legnano* (Teatro Argentina Rom, 1849), *Luisa Miller* (Teatro San Carlo Neapel, 1849) sowie *Stiffelio* (Teatro Grande Triest, 1850).

War Verdi mit dieser eindrucksvollen Werkreihe dabei, zum führenden italienischen Komponisten aufzusteigen, so erlebte seine Karriere mit einer Operntrias ihren vorläufigen Höhepunkt, die bis heute zu den Säulen des Repertoires der Opernhäuser gehört: Mit *Rigoletto* (La Fenice Venedig, 1851), *Il trovatore* (Teatro Apollo Rom, 1853) und *La traviata* (La Fenice Venedig,1853) eröffnete er ein neues Kapitel auf dem Weg zu einer neuen Form musikdramatischen Komponierens – das italienische Publikum und die vielen auswärtigen Beobachter des Musiklebens empfanden dies jedenfalls so. Wichtige ästhetische Neuerungen brachten auch *Simon Boccanegra* (La Fenice Venedig, 1857) und *Un ballo in maschera* (Teatro Apollo Rom, 1859), zuvor hatte Verdi mit *Les Vêpres siciliennes* einen künstlerisch durchaus folgenreichen Ausflug in die Welt der französischen Grand opéra unternommen (Paris 1855). Sein Ausdrucksvermögen erweiterte sich kontinuierlich, ebenso das Spektrum seiner stilistischen Möglichkeiten. Die Wirkung seiner Vorbilder trat immer weiter zugunsten der Entfaltung einer hochgradig individuellen Ästhetik zurück.

So rasch hintereinander zunächst Verdis Opern entstanden waren, so konzentriert und wählerisch widmete er sich ab den 1860er-Jahren neuen Projekten. Er nahm nur noch wenige Aufträge an: Nunmehr musste ihn ein Sujet regelrecht fesseln, damit er es für ein Bühnenwerk in Erwägung zog. Der Landsitz Sant'Agata in der Nähe seines Heimatortes Busseto, den Verdi 1848 erworben und drei Jahre später bezogen hatte, wurde mehr und mehr zu seinem Lebensmittelpunkt – das Verlangen nach den großen Städten mit ihren Opernhäusern und ihrem kaum zufriedenzustellenden Publikum hielt sich zunehmend in Grenzen, zumal er auch den ungeliebten gesellschaftlichen Verpflichtungen möglichst entgehen wollte.

Dabei war Verdi nach wie vor ein gefragter Komponist – und zwar weltweit. Die Aufführungsorte seiner neuen Werke wirken wie handverlesen und befanden sich zum Teil abseits der traditionellen Opernzentren, in denen Verdi bislang aktiv war: *La forza del destino* ging 1862 erstmals im Kaiserlichen Theater in St. Petersburg über die Bühne, die monumentale fünfaktige französische Fassung von *Don Carlos* erlebte 1867 ihre Premiere an der Pariser Opéra, während die Uraufführung von *Aida* Ende 1871 sogar auf einem anderen Kontinent, in Kairo, stattfand.

Mit *Aida* endete auch die Serie von Auftragswerken, die den Grundstock von Verdis Existenz als Opernkomponist bildeten. Die beiden letzten, künstlerisch auf allerhöchstem Niveau stehenden Opern, die Verdi schrieb, *Otello* und *Falstaff* (1887 bzw. 1893 an der Mailänder Scala erstmals präsentiert), entstanden aus eigener Initiative. Und auch die *Messa da Requiem* und die späten *Quattro pezzi sacri*, mit denen Verdi auch abseits der Oper demonstrierte, über welch ein enormes satztechnisches, gestalterisches und expressives Vermögen er verfügte, waren nicht von außen her bestimmt, sondern aus innerem Antrieb heraus komponiert worden.

Opernkunst und Zeitgeschichte

Betrachtet man Verdis Œuvre insgesamt, so halten sich das Anknüpfen an Traditionelles und die Suche nach Neuem in etwa die Waage. Kühne, zukunftsweisende Entwürfe gibt es immer wieder, das Bedienen von Konventionen ist indes auch nicht an bestimmte Schaffensphasen gebunden. Was Verdis Opern jedoch im Besonderen auszeichnet, ist die Tatsache, dass in den weitaus meisten von ihnen (und ausnahmslos in den mittleren und späten Werken) in offenkundiger Weise ein neues dramatisches Empfinden Eingang gefunden hat. Das Streben nach Wahrhaftigkeit des musikdramatischen Ausdrucks wird zu einer entscheidenden Größe, desgleichen der Wunsch, wirkliche Charaktere von Fleisch und Blut, abseits jeglicher stereotyper Kennzeichnung, auf die Bühne zu stellen und ihren facettenreichen Emotionen Raum zu geben. Die Oper wird zu einer Welt für sich, ohne indes die Kopplung an die empirische Welt aufzugeben, die zuweilen recht unvermittelt in die auf der Bühne gezeigte Theaterwirklichkeit einbricht.

Dieses – zumindest zeitweilige – Hereinbrechen einer Realität des Hier und Jetzt in die Oper besaß eine zeitgeschichtliche Komponente, da nicht wenige der von Verdi bearbeiteten Opernstoffe politisch zu deuten waren. Die Zeitgenossen suchten nach Parallelen zwischen den gezeigten Figuren, Situationen bzw. Handlungen und der gegenwärtigen Lage. Das Paradebeispiel dafür ist der sogenannte »Freiheitschor« aus *Nabucco*, der zu einer Ikone des Unabhängigkeitswillens der Italiener wurde. Verdi, dessen patriotische Grundeinstellung außer Frage steht, hat die Regungen, die er durch seine Musik auslöste, durchaus verstanden und gutgeheißen, auch wenn er, der gemäßigte Risorgimento-Anhänger, keineswegs zu den Eiferern für die nationale Sache zählte.

Beobachtet hat er die politischen Entwicklungen indes genau. Vom Zeugen wurde er zeitweilig sogar zum Teilnehmer, wie etwa 1861 als Abgeordneter des in Turin tagenden italienischen Parlaments. Zwei Jahre zuvor war ihm erstmals in Neapel den Schriftzug »Viva V. E. R. D. I.« begegnet, der doppeldeutig als Lobpreis auf ihn selbst, zugleich aber auch als symbolhafte Huldigung an den von einem Großteil der Italiener herbeigesehnten künftigen König gelesen werden konnte (Vittorio Emanuele Ré D'Italia), eines Königs, der als Oberhaupt eines eigenständigen, von fremden Mächten und Einflüssen befreiten Nationalstaats die innere Stabilität und äußere Stärke garantieren sollte. 1859 war Verdi auch mit Camillo di Cavour bekannt geworden, dem Architekten des neuen, geeinigten Königreichs Italien. Aber auch die Aktivitäten des deutlich radikaleren Giuseppe Garibaldi, der als erklärter Revolutionär mit der Waffe in der Hand die gewünschte Einigung erstreiten wollte, verfolgte er mit Interesse. Verdis Sympathien gehörten jedoch zweifelsohne Cavour, dessen umsichtiges Wirken er als Glücksfall für die Geschichte seines Landes ansah.

Carlo Pellegrinis Verdi-Lithografie, 1879 in der Londoner »Vanity Fair« veröffentlicht, bewegt sich zwischen ernsthaftem Porträt und Karikatur.

Verdi selbst war inzwischen Teil dieser Geschichte geworden; schon bald galt er als Repräsentant seiner Zeit, einer überaus ereignisreichen historischen Phase zwischen Vormärz und vollzogener nationaler Einigung. Italien besaß mit ihm einen Künstler von Weltrang, der sich nicht allein würdig in die Phalanx der großen Komponisten einreihte, sondern weit über sein Metier hinaus Resonanz fand, ähnlich wie etwa der Romancier Alessandro Manzoni. Verdi wurde zu einer Zentralfigur der italienischen Geschichte des 19. Jahrhunderts mit allen seinen Widersprüchen. Er war ein Nonkonformist, der sich nie vereinnahmen ließ, weder politisch noch künstlerisch – und ist vielleicht gerade deswegen so wirkungsmächtig gewesen, weil es ihm stets darum ging, Rückgrat und Charakterstärke zu zeigen, jenseits von Anpassung und Bequemlichkeit.

Mit Giuseppe Verdi begegnet uns ein wahrer Gigant in der europäischen Operngeschichte, im Grunde besitzt nur Richard Wagner eine vergleichbare Bedeutung und Ausstrahlung. Wagner und Verdi scheinen geradezu zwei verschiedene »Kulturen« zu verkörpern – analog zu Beethoven und Rossini, die im ersten Viertel des 19. Jahrhunderts die Entwicklungen der Musik maßgeblich geprägt hatten und dabei in Werk und Wirken doch so grundverschieden waren. Dass sich Verdi in einigen seiner späteren Opern – vornehmlich im *Otello*, aber auch in Teilen von *Aida* – der wagnerschen Ästhetik spürbar angenähert hat, ist nicht unbedingt als Zeichen zu verstehen, sich der Hegemonie seines im gleichen Jahr geborenen deutschen Komponistenkollegen zu beugen, sondern kann durchaus in enger Verbindung mit seiner Auffassung eines musikdramatischen Gestaltens begriffen werden, für das ein Begriff von »Glaubwürdigkeit« oberstes Prinzip war.

»Die Wirklichkeit nachahmen kann eine gute Sache sein; aber die Wirklichkeit erfinden ist besser, viel besser.« Diese Äußerung Giuseppe Verdis, zu finden in einem Brief vom Oktober 1876, wirkt gleichsam wie sein Credo. Demzufolge war es nicht ein Schildern bzw. Abbilden von Realitäten, worauf es ihm wesentlich ankam, sondern ein Kreieren von Situationen und Vorgängen, die auf der Bühne im wahrsten Sinne des Wortes »wirklich« sind. Die mit allen ihm zur Verfügung stehenden Mitteln verwirklichte Absicht, dem Betrachter statt einer bloßen ästhetischen Scheinwelt ein Geschehen zu präsentieren, das – zumindest im Zuge einer gelungenen Aufführung – den Eindruck vermittelt, buchstäblich real zu sein, zeichnet jedenfalls den Musikdramatiker Verdi wesentlich aus. Und nicht zuletzt scheint er sich auch bei *Aida* an dieser Leitlinie orientiert zu haben.

Jahr	Historische Daten	Biografische und werkspezifische Daten
1813	Völkerschlacht bei Leipzig mit folgendem Sturz Kaiser Napoleons	9. oder 10. Oktober: Giuseppe Fortunio Francesco Verdi wird in Le Roncole nahe Busseto im Herzogtum Piacenza-Parma geboren; getauft wird er am 11. Oktober
1814	Beginn des Wiener Kongresses zur Neuordnung Europas	
1816	Uraufführung von Rossinis *Il barbiere di Siviglia* in Rom	
1817		Beginn der Grundschulausbildung, wahrscheinlich auch erster Klavierunterricht
1820	Norditalien wird von einer ersten Welle der Nationalbewegung erfasst	Erstmalige Tätigkeit als Organist in Le Roncole
1821	Uraufführung von Webers *Freischütz* in Berlin	
1823		Aufnahme in das Gymnasium in Busseto
1825		Beginn eines systematischen Musikunterrichts bei Ferdinando Provesi, Organist und städtischer Musikdirektor in Busseto
1829	Rossinis letzte Oper *Guillaume Tell* wird in Paris uraufgeführt	Verdi versucht sich an der Komposition von Instrumentalwerken
1830	Julirevolution in Paris, die den »Bürgerkönig« Louis-Philippe an die Macht bringt	Anlässlich der Karfreitagsprozession in Busseto wird Musik von Verdi gespielt
1831	Uraufführungen von Meyerbeers *Robert le diable* in Paris und Bellinis *Norma* in Mailand; Mazzini gründet *Giovine Italia*	Umzug in das Haus von Antonio Barezzi in Busseto, der Verdi eine professionelle musikalische Ausbildung ermöglicht
1832		Verdi wird ein vierjähriges Stipendium der Stadt Busseto genehmigt; sein Aufnahmeantrag am Mailänder Konservatorium wird abgelehnt; Beginn des Privatunterrichts bei dem Komponisten Vincenzo Lavigna
1835	Uraufführungen von Donizettis *Lucia di Lammermoor* sowie von Bellinis *I puritani*	Ende der Studien bei Lavigna und Rückkehr nach Busseto
1836	Uraufführungen von Meyerbeers *Les Huguenots* in Paris	Erfolgreiche Bewerbung um das Amt des städtischen Musikdirektors in Busseto; Heirat mit Margherita Barezzi, der Tochter seines Mäzens
1837	Erste Aufführung von Berlioz' *Grande Messe des morts* im Pariser Invalidendom	Geburt der Tochter Virginia; im Jahr darauf wird der Sohn Icilio Romano geboren

Jahr	Historische Daten	Biografische und werkspezifische Daten
1839		Umzug nach Mailand; Premiere der Oper *Oberto* an der Scala, der Erfolg bringt Verdi die Verbindung mit dem Verlagshaus Ricordi und weitere Opernaufträge ein
1840	Alessandro Manzonis Roman *I promessi sposi – Die Verlobten* erscheint in der endgültigen Fassung	Missglückte Uraufführung von *Un giorno di regno* in Mailand; Tod seiner Frau Margherita
1842		Triumphale Premiere von *Nabucco* an der Scala; Verdis »Galeerenjahre« beginnen
1843	Uraufführung von Wagners *Der fliegende Holländer* in Dresden	Uraufführung von *I Lombardi alla prima crociata* in Mailand
1844		Premiere von *Ernani* im La Fenice in Venedig; die darauf folgende Oper *I due Foscari* wird erstmals in Rom gespielt
1845	Uraufführung von Wagners *Tannhäuser* in Dresden	Uraufführung von *Giovanna d'Arco* in Mailand, außerdem kommt *Alzira* in Neapel heraus; Verdi zieht in den Palazzo Dordoni nach Busseto, Bruch mit der Mailänder Scala
1846	Mendelssohns *Elias* und Berlioz' *La Damnation de Faust* werden erstmals aufgeführt	Premiere von *Attila* in Venedig
1847		Gleich drei Verdi-Opern erleben ihre Uraufführung: *Macbeth* in Florenz, *I masnadieri* in London und *Jérusalem* in Paris; das gemeinsame Leben mit der Sängerin Giuseppina Strepponi beginnt
1848	Im Zuge der Februarrevolution in Paris dankt Louis-Philippe ab; im März gibt es Aufstände in Mailand, Wien, Warschau und verschiedenen deutschen Städten	Premiere von *Il corsaro* in Triest; Verdi erwirbt das Landgut Sant'Agata bei Busseto, das in der Folgezeit zu seinem bevorzugten Aufenthaltsort wird
1849	Rom wird kurzzeitig Republik, durch die Intervention von französischen Truppen wird die Herrschaft des Papstes im Sommer jedoch wieder hergestellt	Uraufführungen von *La battaglia di Legnano* in Rom und von *Luisa Miller* in Neapel
1850	Uraufführung von Wagners *Lohengrin* unter der Leitung Liszts in Weimar	In Triest wird erstmals *Stiffelio* auf die Bühne gebracht
1851		Premiere von *Rigoletto* in Venedig
1853	Cavour wird Ministerpräsident von Piemont, dem Staat, von dem die Einigung Italiens ausgeht	*Il trovatore* wird am Teatro Apollo in Rom uraufgeführt; *La traviata* erlebt ihre wenig erfolgreiche Premiere in Venedig

Jahr	Historische Daten	Biografische und werkspezifische Daten
1855		An der Pariser Opéra geht *Les Vêpres siciliennes* erstmals in Szene
1857		Premiere von *Simon Boccanegra* in Venedig
1859	Auf Initiative Cavours wird der Einigungsprozess Italiens zielgerichtet in die Wege geleitet; in den Schlachten von Magenta und Solferino behauptet sich Piemont gegen Österreich; in Neapel taucht erstmals »Viva V. E. R. D. I.« im Sinne einer politischen Willensbekundung auf; Premiere von Gounods *Faust* in Paris	Am Teatro Apollo in Rom erlebt *Un ballo in maschera* seine Premiere; Heirat mit Giuseppina Strepponi; als Abgeordneter vertritt er Busseto in der Versammlung der Provinzen von Parma; Verdi lernt Cavour kennen, den er außerordentlich verehrt
1861	Das erste Parlament des neuen italienischen Königreiches wird nach Turin einberufen; Vittorio Emanuele II. wird König von Italien; Theaterskandal in der Opéra anlässlich der Premiere von Wagners *Tannhäuser* in der neuen Pariser Fassung	Verdi nimmt als Abgeordneter von Borgo San Donnino, wozu auch Busseto gehört, an der konstituierenden Sitzung des italienischen Parlaments teil
1862	Garibaldis Truppen und die königliche italienische Armee geraten aneinander, der revolutionär gesinnte Garibaldi muss sich vorerst zurückziehen	Komposition des *Inno delle nazioni* für die Weltausstellung in London; Uraufführung von *La forza del destino* in St. Petersburg
1865	Uraufführung von Wagners *Tristan und Isolde* in München	Premiere der Neufassung von *Macbeth* in Paris; Ende der Abgeordnetentätigkeit
1867	Die k. u. k.-Monarchie Österreich-Ungarn wird geschaffen; der Zug Garibaldis auf Rom wird von den Franzosen aufgehalten	Das französische Original von *Don Carlos* geht an der Pariser Opéra in Szene
1868	Uraufführung von Wagners *Die Meistersinger von Nürnberg* in München und Boitos *Mefistofele* in Mailand	
1869	Eröffnung des Sueskanals und des neuen Kairoer Opernhauses mit Verdis *Rigoletto*	Die Neufassung von *La forza del destino* hat an der Mailänder Scala Premiere
1870	Ausbruch des Deutsch-Französischen Krieges; Belagerung Roms durch italienische Truppen, die das Ende des Kirchenstaates zur Folge hat	Bereitschaft, für Kairo eine neue Oper zu schreiben; intensive Arbeit mit Antonio Ghislanzoni am Libretto von *Aida*
1871	Rom wird die Hauptstadt eines geeinigten Italien; in Versailles wird das Deutsche Kaiserreich proklamiert; der Aufstand der Pariser Kommune wird niedergeschlagen	Uraufführung von *Aida* am Opernhaus in Kairo, Verdi selbst ist nicht anwesend; er wird zum Ehrenmitglied der *Società Filarmonica* Neapel ernannt

Jahr	Historische Daten	Biografische und werkspezifische Daten
1872		*Aida* wird erstmals in Italien aufgeführt, Schauplatz des glänzenden Erfolgs ist die Mailänder Scala
1873		Erste (nichtöffentliche) Aufführung des Streichquartetts e-Moll; unter dem Eindruck des Todes von Alessandro Manzoni fasst Verdi den Entschluss, ein Requiem zu komponieren
1874	Uraufführungen von Mussorgskis *Boris Godunow* in St. Petersburg und Straußens *Fledermaus* in Wien	Uraufführung der *Messa da Requiem* in der Mailänder Kirche San Marco unter Verdis eigener Leitung
1875	Premiere von Bizets *Carmen* in Paris	Erste Aufführung von *Aida* in Wien
1876	Die ersten Bayreuther Festspiele finden mit der Premiere des kompletten *Ring des Nibelungen* statt	
1879	Uraufführung von Tschaikowskis *Eugen Onegin* in Moskau	Gemeinsam mit Giulio Ricordi und Arrigo Boito wird der Plan zu *Otello* entwickelt
1880		Eine französischsprachige Aufführung von *Aida* an der Pariser Opéra (mit neuem Ballett) wird von Verdi selbst dirigiert
1881	Uraufführung von Offenbachs *Les Contes d'Hoffmann* in Paris	Premiere der Neufassung von *Simon Boccanegra* an der Mailänder Scala
1882	Die zweiten Bayreuther Festspiele bringen die Premiere von Wagners *Parsifal*	
1884		Die vieraktige italienische Neufassung von *Don Carlo* geht an der Scala in Szene
1887	Allianz des Deutschen Reiches mit Italien und Großbritannien	Uraufführung von *Otello*, abermals an der Scala; Verdi wird Ehrenbürger von Mailand
1893	Uraufführungen von Puccinis *Manon Lescaut* und Humperdincks *Hänsel und Gretel*	Premiere von *Falstaff* in Mailand; Verdi erhält die Ehrenbürgerschaft von Rom
1896	Die Uraufführung von Puccinis *La Bohème* in Turin wird von Arturo Toscanini dirigiert	
1897		Tod von Giuseppina in Sant'Agata
1898	Unruhen und Streiks in ganz Italien aufgrund der angespannten sozialen Lage	Drei der *Quattro pezzi sacri* werden in Paris uraufgeführt, die erste komplette Darbietung findet in Turin unter Toscanini statt
1901		Verdi erleidet am 21. Januar einen Schlaganfall und stirbt am Morgen des 27. Januar im Alter von 87 Jahren in Mailand

Entstehung und Sujet

Entstehungsgeschichte

Eine ungewöhnliche Anfrage war es schon, die im Frühjahr des Jahres 1870 an Verdi erging: Für das Opernhaus in Kairo, das erst im Jahr zuvor, am 6. November 1869, mit einer Aufführung seines Erfolgsstücks *Rigoletto* eröffnet worden war, sollte er ein neues Bühnenwerk komponieren. Durch die Eröffnung des Sueskanals, der nach rund zehnjähriger Bauzeit fertiggestellt worden war, rückte die ägyptische Kapitale verstärkt in das Blickfeld der Europäer. Die pulsierende Stadt am Nil befand sich plötzlich in unmittelbarer Nähe einer international extrem wichtigen Verkehrsader und war auf dem Weg, in die Moderne aufzubrechen.

Ein eigenes Opernhaus nach dem Vorbild mittel-, west- und südeuropäischer Theaterbauten sollte hierbei eine neue Weltoffenheit demonstrieren und Kairo einen bislang unbekannten Glanz verleihen. Zwar war das im Stil des Klassizismus (außen) bzw. Rokoko (innen) gehaltene und 1971 durch Brand zerstörte Gebäude mit seinen 850 Plätzen eher klein, für Ägypten bedeutete die Errichtung eines solchen Opernhauses – des ersten auf afrikanischem Boden – indes einen deutlichen Schritt in Richtung der Annäherung an eine besonders prestigeträchtige Kunstform.

Dass sich die Verantwortlichen der Kairoer Oper um europäische Künstler von Rang bemühten, um das Haus und die neu ins Leben gerufene Institution entsprechend wirkungsvoll in Szene zu setzen, verwundert nicht. Große Namen wurden in Umlauf gebracht, unter ihnen mit Charles Gounod, Giuseppe Verdi und Richard Wagner drei Hauptrepräsentanten der französischen, italienischen und deutschen Oper.

Zu Verdi suchte man beizeiten Kontakt – offenbar war er der Favorit der maßgeblichen Stellen und Personen. Paul Draneth Bey (1815–1894), der frisch ins Amt berufene erste Generaldirektor des Kairoer Opernhauses, bemühte sich um den prominenten Komponisten. Im Sommer 1869, im Blick auf die anstehende Eröffnung des Sueskanals, ließ er bei Verdi anfragen, ob dieser nicht bereit wäre, zu diesem Anlass eine festliche Hymne zu schreiben. Erwartungsgemäß lehnte dieser ab, da er derartigen Angeboten, die im Komponieren von ungeliebten »Gelegenheitsstücken« bestanden, prinzipiell nicht nachkam.

Für ein anderes, einige Monate später ins Spiel gebrachte Projekt konnte sich Verdi jedoch begeistern. Im Mai 1870 war Camille Du Locle (1832–1903), Sekretär der Direktion der Pariser Opéra und baldiger Intendant der Opéra-Comique, mit einem konkreten Vorschlag an Verdi herangetreten. Nachdem es dem ebenso kenntnisreichen wie umtriebigen Opernmanager zuvor nicht gelungen war, nach dem Abschluss von Verdis letzter Arbeit – Ende Februar des Vorjahres war die überarbeitete Fassung von *La forza del destino* an der Mailänder Scala in Szene gegangen – zur Komposition eines neuen Werkes (in erster Linie natürlich für Paris) zu bewegen, zeigte Verdi, schon ein wenig überraschend, Interesse an einem Stoff, der gegenüber den gängigen Opernsujets über ein sehr spezielles Kolorit verfügte und an einem ungewöhnlichen Spielort angesiedelt war.

Du Locle, den Verdi durch die gemeinsame Arbeit an der französischen Erstfassung des *Don Carlos* gut kannte, hatte den Komponisten mit dem Entwurf für ein Libretto bekannt gemacht, dessen Handlung im alten Ägypten spielte. Verdi fand das Ganze zwar nicht unbedingt spektakulär, da die Geschichte eher konventionelle Züge trug, hinsichtlich der szenischen Disposition aber zeigte er sich spürbar angetan: Da alles ausgesprochen gut gemacht sei, mit einem untrüglichen Sinn für theatralische Wirkungen und zudem mit einer logischen Folgerichtigkeit im Ablauf des Geschehens, könnte er es sich durchaus vorstellen, dieses Sujet als Grundlage einer neuen Oper zu wählen.

Auf Verdis Frage, von wem die ihm vorgelegte Librettoskizze denn nun stamme, teilte ihm Du Locle mit, dass diese eine Gemeinschaftsarbeit zweier bedeutender Persönlichkeiten sei: des ägyptischen Vizekönigs sowie des »berühmten Archäologen« Auguste Mariette Bey. Schon damals hatte Verdi offenbar Zweifel an der Autorschaft des osmanischen Khediven Ismail Pascha (1830–1895), die sich später bestätigen sollten – dass der Name des Vizekönigs überhaupt auftauchte, war entweder der Unwissenheit oder aber dem Kalkül Du Locles geschuldet, um das gesamte Vorhaben in den Augen Verdis noch attraktiver erscheinen zu lassen.

Fest steht indes, dass Ismail Pascha ein großes, auch persönliches Interesse daran hatte, Verdi für die Komposition einer Oper für Kairo zu gewinnen. Die Verpflichtung des gefeierten italienischen Künstlers, der mit seinem Namen und Wirken für erstrebenswerte Ideale wie »Hochkultur«, »Fortschritt« und »Zivilisation« einstand, war ganz im Sinne seiner energisch betriebenen Modernisierungsstrategie, die in so ambitionierten Unternehmungen wie dem Bau von Eisenbahnlinien und eines Telegrafennetzes Gestalt gewann.

Ausgangspunkt für Verdis Beschäftigung mit dem ägyptischen Sujet war ein 23 Seiten langer, recht detaillierter Prosaentwurf in französischer Sprache, als dessen alleiniger Verfasser wohl Auguste Mariette gelten kann. 1870 hatte er den Text in einer Kleinstauflage von lediglich zehn Exemplaren drucken lassen und eine dieser Broschüren Du Locle übergeben, damit dieser Verdi darauf aufmerksam mache. Mariette, der sich abseits seiner wissenschaftlichen Studien wiederholt auch den schönen Künsten widmete, dürfte sich allein durch die Tatsache, dass sich ein derart berühmter Komponist wie Verdi einer von ihm erfundenen und als Szenenfolge ausgearbeiteten Geschichte zuwandte, sehr geehrt gefühlt haben.

Die Bronzebüste des Ägyptologen und Hobbyliteraten Auguste Ferdinand François Mariette, aufgestellt im Museum in Boulogne-sur-Mer.

Die ägyptische Historie und Kultur kannte Mariette wie kaum ein anderer Europäer. Bereits 1850 war er im Auftrag des Louvre an den Nil gereist, um dort nach alten Manuskripten zu suchen und diese für den französischen Staat anzukaufen. Aus dem Unterhändler wurde in den folgenden Jahren ein wahrer Entdecker: Mariette unternahm eine Reihe von Ausgrabungen, bei denen er wertvolle Objekte sicherstellte, die dann größtenteils (und nicht selten illegal) nach Frankreich verschifft wurden. Mit dem Khediven Ismail Pascha stand er auf gutem Fuß – immerhin wurde er mit der Oberleitung der Ausgrabungen betraut, die er überaus engagiert, wenngleich auch ohne sonderliche Rücksicht auf die architektonischen Hinterlassenschaften der alten Ägypter und die Befindlichkeiten der Einheimischen vorantrieb. Respekt vor den kulturellen Traditionen war ihm keineswegs fremd, deutlich trat in seiner Haltung und seinen Aktivitäten jedoch auch der Geist des europäischen Kolonialismus hervor, dem im 19. Jahrhundert viele Forscher und Intellektuelle verfallen waren.

Als ein Mann mit vielfältigen Talenten plante Mariette zudem, auch die Kostüme, Dekorationen und Requisiten der Oper zu entwerfen. Und in der Tat zeichnete er, als eine Aufführung von *Aida* keine bloße Idee mehr war, sondern in greifbare Nähe zu rücken begann, für die gesamte Bühnenausstattung verantwortlich, indem er nicht nur die kreative Arbeit leistete, sondern auch die Herstellung der Materialien überwachte. Wenn schon eine Oper im alten Ägypten spielte, so sollte sie nach Mariettes Überzeugung auch in dieser Weise szenisch umgesetzt werden.

Von Anfang an hat gerade dieses dekorative Moment eine entscheidende Rolle bei der Konzeption von *Aida* gespielt. Die maßgeblichen Handlungsstränge (bzw. einzelne Details daraus) hätten sich im

Ein Pionier der Ägyptologie

François Auguste Ferdinand Mariette (1821–1881) gehört zu den Pionieren und prägenden Gestalten der Ägyptologie. Eine spürbare Affinität zu Kunst und Theater besaß er seit seiner Jugend: Als Zeichenlehrer betätigte er sich ebenso wie als Bühnenbildner, Ausstatter und Regisseur. Auch als Autor trat er hervor – ob nun von Theaterstücken, Erzählungen oder Essays. Was ihn aber vor allem in Bann zog, war die Geschichte und Kultur des alten Ägypten, die in Frankreich durch den Feldzug Napoleon Bonapartes 1798/1799 sowie verdienstvolle Forschungsarbeiten des frühen 19. Jahrhunderts viel Aufmerksamkeit fanden.

1850 reiste Mariette erstmals an den Nil. Im Auftrag des Pariser Louvre sollte er für eine Summe von 8.000 Franc Manuskripte koptisch-christlicher Provenienz erwerben. Er war jedoch der Ansicht, dass die ihm zur Verfügung gestellten Mittel besser in Ausgrabungen zu investieren seien. In der Wüste von Sakkara startete er auf eigene Faust eine archäologische Expedition – und fand tatsächlich eine Reihe von legendären Gräbern und Tempeln. Gemeinsam mit einheimischen Helfern legte er wertvollste Kunstwerke frei, die z. T. mehr als 4.000 Jahre alt waren. 1858 ernannte man Mariette zum Direktor der ägyptischen Altertümer, 1859 gründete er das spätere Ägyptische Museum, 1862 wurde ihm der Ehrentitel »Bey« verliehen, zehn Jahre darauf durfte er sich gar »Pascha« nennen. Für die Pariser Weltausstellung 1867, bei der dem staunenden Publikum zahlreiche Fundstücke präsentiert wurden, hatte Mariette den ägyptischen Pavillon entworfen, womit er großes Interesse auf sich zog. Wenige Jahre später sollte er mit seinem Szenarium zu *Aida* die Entstehung eines der bedeutendsten Opernwerke des 19. Jahrhunderts in die Wege leiten.

Laufe des Entstehungsprozesses der Oper nach Mariettes Auffassung noch durchaus verändern können, die Grundausrichtung im Szenischen war indes von vornherein vorgegeben und stand nicht zur Diskussion. Verdi ließ sich voll und ganz auf diese Leitlinie ein, die im Übrigen auch dem Wunsch des einflussreichen ägyptischen Vizekönigs entsprach. Aber auch am Prosatext selbst, von Mariette als Vorlage für ein Opernlibretto in vier Akten und sechs Bildern gedacht, hatte Verdi offenbar nicht viel auszusetzen. Die Handlung als Ganzes, aber auch der Zuschnitt der meisten Szenen fand er gelungen und wirkungsvoll, sodass ein Großteil der szenischen Gliederung und der eigentlichen »Story« in die spätere Oper aufgenommen wurde.

Worauf Mariette hingegen verzichtet hatte, war eine konkrete historische Verortung der Geschichte. Seine umfassenden ägyptologischen Kenntnisse ermöglichten ihm zwar, der Handlung zumindest den Anschein von Authentizität zu geben, indem er die Schauplätze und kulturellen Kontexte so genau wie möglich zu kennzeichnen suchte, den Kern seiner Intentionen bildeten diese Bemühungen gleichwohl nicht. Eine in sich stimmige Geschichte sollte erzählt und auf die Bühne gebracht werden, jedoch keine nach wissenschaftlichen Standards vorgenommene Schilderung historischer Begebenheiten. Und so wurde *Aida* als eine Tragödie konzipiert, die prinzipiell auch zu anderen Zeiten und in vollkommen anderen geschichtlichen Zusammenhängen spielen könnte, da hier Konflikte aufscheinen, die nicht unbedingt mit der Kultur des alten Ägypten in Verbindung stehen.

Es spricht für Verdi, dass er sich im Vorfeld der Komposition sehr intensiv mit dem Stoff auseinandergesetzt hat, um beizeiten für sich Klarheit über die musikalische Ausformung zu gewinnen. Da ihn die Vorstellung reizte, eine Oper mit derart plakativ ausgestelltem ägyptischem Dekor auch auf der Ebene des Klanglichen mit entsprechenden Elementen anzureichern, vertiefte er sich mit großem Interesse in die Geschichte und Kultur der alten Ägypter. Insbesondere waren natürlich musikethnologische Erkenntnisse für ihn von Wert: So bat er Mariette und andere Experten um Auskunft über Bauart und Klang traditioneller

Unter dem ägytischen Vizekönig Ismail Pascha drangen westliche Einflüsse zunehmend in den Alltag und das kulturelle Leben Ägyptens ein.

ägyptischer Instrumente oder um Informationen über sakrale Tänze. Auch wollte er so viel als möglich über den Ablauf von religiösen Zeremonien erfahren, um die für *Aida* so wichtigen Tempelszenen möglichst eindrucksvoll und überzeugend ausgestalten zu können. Eine wirkliche Rekonstruktion im Sinn des Erreichens von historischer Treue war dabei weder das Ziel noch überhaupt denkbar – dazu war die wissenschaftliche Basis dann doch zu schmal und Verdis Vermögen als Musikdramatiker zu ausgeprägt.

Suchte Verdi eher instinktiv nach Anknüpfungen an die antike, über Jahrhunderte verschüttete und erst im 19. Jahrhundert Schritt für Schritt wiederentdeckte Kultur, so konnte Mariette auf einen reichhaltigen Wissens- und Erfahrungsschatz zurückgreifen, den er sich in jahrelanger Arbeit angeeignet hatte. Mit der Attitüde eines ausgewiesenen Spezialisten, der sehr genau den Stand der Forschung kannte und der um 1870 kaum ernsthafte Konkurrenz auf dem Gebiet der Ägyptologie zu fürchten hatte, entnahm er verschiedenen historischen Epochen gerade das, was er zur Formung seiner Geschichte benötigte. So ist der behauptete Konflikt zwischen den Ägyptern und den Äthiopiern, der zu einem wesentlichen Motiv des Dramas ausgebaut wurde, mehr oder weniger konstruiert. Und ob der in der Oper zutage tretende Status der Priesterschaft – der männlichen wie der weiblichen – auch der historischen Wahrheit entspricht, lässt sich wohl kaum mit Sicherheit feststellen.

Für die Glaubwürdigkeit und Überzeugungskraft der Handlung spielen derartige Dinge ohnehin eine untergeordnete, fast zu vernachlässigende Rolle. Entscheidend war, dass Verdi sich von dem Sujet angesprochen fühlte und damit begann, sich näher mit ihm zu beschäftigen. Dass er Gefallen an dem »ägyptischen Szenarium« gefunden habe, teilte er Ende Mai 1870 in einem Brief an Du Locle mit, jedoch auch, dass er nur dann einwilligen könne, eine Oper auf diesen Stoff zu schreiben, wenn man ihn großzügig dafür entlohne. Der Wunsch, Verdi offiziell für Kairo zu verpflichten, muss geradezu gewaltig gewesen sein, anders ist die Bewilligung eines Honorars von 150.000 Franc – was immerhin dem Dreifachen der Summe entsprach, die er für *Don Carlos* von der renommierten Pariser Opéra erhalten hatte – nicht zu werten. Gewinner gab es aber auf beiden Seiten: Nicht nur Verdi hatte ein glänzendes Geschäft gemacht, sondern auch der ägyptische Vizekönig, der sich auf die Fahnen schreiben konnte, einen der berühmtesten europäischen Komponisten mit einem Originalwerk, zudem noch auf ein ägyptisches Thema, für sein neues, noch in keiner Weise etabliertes Opernhaus gewonnen zu haben.

Die Rahmenbedingungen gestalteten sich für Verdi so günstig wie nie zuvor. Die vereinbarte Summe sollte er allein für die Bereitstellung der Partitur und die Aufführungen in Kairo erhalten; sämtliche Rechte an seinem Werk verblieben weiter bei ihm, zudem war er nicht gezwungen, vor Ort die Oper einzustudieren bzw. die Probenarbeit zu kontrollieren. Stattdessen konnte er einen Dirigenten seiner Wahl bestimmen, dem die Leitung aller Proben und Aufführungen oblag. Und in der Tat: Verdi zeigte sich nicht daran interessiert, eine Reise an den Nil zu unternehmen; das Opernhaus in Kairo hat er weder zur Uraufführung noch später jemals betreten.

Das Projekt *Aida* – denn so sollte die Oper analog zum Szenarium Mariettes heißen – nahm sehr schnell konkrete Gestalt an. Ein erster Schritt war die Übersetzung des französischen Prosaentwurfs ins Italienische, die Verdi gemeinsam mit seiner Frau Giuseppina während des Frühsommers 1870 im beschaulichen Sant'Agata realisierte. Im direkten Anschluss entstand in Kooperation mit Du Locle, der die Verdis im Juni auf ihrem Landgut besuchte, eine vorläufige Librettofassung, die zu einem Teil bereits aus fertigen Dialogen bestand. Die genaue Ausformulierung der Verse, gewissermaßen die Feinarbeit, überließ Verdi indes einem erfahrenen Autor, der ihm bereits bei der Mailänder Neufassung von *La forza del destino* zur Seite gestanden hatte: Antonio Ghislanzoni (1824–1893).

Der vielfältig begabte Ghislanzoni, der u. a. auch als ausgezeichneter Sänger und Musikkritiker hervortrat, genoss das Vertrauen Verdis. In enger wechselseitiger Abstimmung zwischen Librettist und Komponist – im Juli 1870 zunächst persönlich in Sant'Agata, in den kommenden Wochen und Monaten dann mittels einer umfangreichen brieflichen Korrespondenz – wurde der Text Punkt für Punkt ausgearbeitet, wobei Ghislanzoni die Vorschläge Verdis in der Regel wohlwollend und mit bemerkenswerter Sensibilität berücksichtigte. Die wiederholten Bitten Verdis, noch das eine oder andere zu ändern, waren keineswegs als Kritik zu verstehen, sondern dienten allein dem Zweck, die jeweils herrschende Situation und Stimmungslage möglichst prägnant zu umreißen. Eine fruchtbare Zusammenarbeit konnte sich auch deshalb entwickeln, da sich hier zwei Künstler auf Augenhöhe begegneten, sich gegenseitig schätzten und respektierten. Ghislanzoni vermochte auch deshalb so gut auf Verdis Anregungen einzugehen,

Antonio Ghislanzoni verfasste in intensiver Zusammenarbeit mit Verdi das Libretto zu »Aida«.

weil der Komponist ungemein detailliert seine Librettowünsche äußerte: Die Form der Verse schien ihm dabei eher sekundär zu sein, weit wichtiger war ihm der Aufbau der Szenen im Blick auf eine jederzeit stimmige und theaterpraktisch überzeugende Dramaturgie. Der »parola scenica«, einem Wort, das blitzlichthaft das momentane Denken und Fühlen einer Figur zum Ausdruck brachte, galt seine besondere Aufmerksamkeit – immer wieder hat er Ghislanzoni (wie zuvor schon andere seiner Librettisten) dazu angehalten, derartige Begriffe zu finden.

Parallel zur etappenweisen Textlieferung und seinen fortgesetzten ägyptologischen Studien widmete sich Verdi ab dem Sommer 1870 auch bereits der Komposition. Bis zum Jahresende bewältigte er ein enormes Arbeitspensum, vergegenwärtigt man sich nur, dass es ihm binnen weniger Monate gelang, nahezu die komplette Partitur des umfangreichen Werkes im Manuskript zu erstellen. Verdis Eile war nicht unbegründet, hatte die Operndirektion in Kairo doch für Ende Januar 1871 einen möglichen Uraufführungstermin avisiert.

Die große Politik verhinderte dies jedoch: Der Ausbruch des Deutsch-Französischen Krieges im Sommer 1870 zog auch die Vorbereitungen der geplanten *Aida*-Premiere in Mitleidenschaft. Verdi beobachtete die Geschehnisse mit wachsender Sorge; trotz seines eher gespaltenen Verhältnisses zu Frankreich schlug er sich unmissverständlich auf die Seite der Franzosen, deren Niederlage er aber schon bald zu ahnen schien. Die Furcht vor einem allzu großen und allzu starken Deutschen Reich bedrückte ihn ebenso. Etwas davon floss sogar in die Gestaltung des Librettos ein, als er Ghislanzoni bat, die Verse im Finale des 2. Aktes, mitten im Triumphmarsch, folgendermaßen abzuändern: »Wir haben gesiegt mit Hilfe der göttlichen Vorsehung. Der Feind hat sich ergeben.« Dass Verdi hier, im Grunde wörtlich, aus dem Telegramm des preußischen Königs Wilhelm I. (der nur wenig später zum Kaiser des Deutschen Reiches gekrönt werden sollte) zitierte, das dieser nach der Schlacht von Sedan Anfang September 1870 an seine Gemahlin geschickt hatte, kann als deutlicher Reflex auf das Zeitgeschehen begriffen werden.

Titelblatt der gedruckten Libretto-ausgabe von »Aida«.

Der Krieg wirkte sich darüber hinaus noch auf andere Weise auf *Aida* aus: Die in Paris produzierten Bühnenbilder und Kostüme konnten nicht rechtzeitig fertiggestellt werden, zudem war an einen Transport per Schiff nach Ägypten durch die deutsche Belagerung nicht zu denken. Das vorgesehene Datum der Premiere ließ sich nicht halten, es musste neu geplant werden. Die Verschiebung gab Verdi die willkommene Gelegenheit, sich noch einmal Text und Musik zuzuwenden. Wiederholt wurde dabei auch Ghislanzoni zurate gezogen: Einige Passagen bekamen eine neue Gestalt, u. a. auch der Beginn des 3. Aktes, der zu den am meisten bewunderten Stellen in Verdis gesamtem Œuvre zählt. Rein organisatorisch musste auch noch manches geklärt werden: Um Kairo die versprochene Uraufführung zu sichern, war es notwendig, die ursprünglich für Februar 1871 an der Mailänder Scala vorgesehene italienische Premiere zu verlegen – die militärischen Ereignisse, die zu einer erheblichen politischen Neuordnung Mittel- und Westeuropas geführt hatten, schlugen sich ganz unmittelbar auf das Operngeschäft nieder.

Dass Verdi die unverhofft ihm gegebene Zeit effektiv für sein Werk genutzt hat, wird man zweifellos behaupten können. Im Gegensatz zu anderen, ähnlich ambitionierten Opern wie *Don Carlos, La forza del destino* oder *Simon Boccanegra* verzichtete er im Falle von *Aida* später aber auf grundlegende Umarbeitungen – was sicher auch als Zeichen der Zufriedenheit mit der künstlerischen Qualität des Werkes zu werten ist.

Der Erfolg sollte Verdi jedenfalls recht geben: Die Uraufführung, die schließlich am 24. Dezember 1871 im Kairoer Opernhaus über die Bühne ging, gestaltete sich zu einem wahren Triumph. *Aida* hatte sich als ein Werk erwiesen, das Beifallsstürme auslöste und das versammelte internationale Publikum restlos begeisterte. Die eingängige Handlung und die ansprechende szenische Umsetzung hatten dazu ebenso beigetragen wie die eindringliche Musik, mit der Verdi wieder einmal zeigte, wie fokussiert und auf welch einem hohen Niveau er doch zu komponieren vermochte.

Die Handlung

Text und Stoffquelle Basis des Librettos ist ein Handlungsentwurf in französischer Prosa von Auguste Mariette, den Camille Du Locle redaktionell bearbeitete und an Giuseppe Verdi übergab. Als Librettist im eigentlichen Sinne fungierte Antonio Ghislanzoni, der in enger Abstimmung mit Verdi das Szenarium in italienische Verse brachte

Uraufführung 24. Dezember 1871, Opernhaus Kairo

Personen Der König von Ägypten (Seriöser Bass, auch Charakterbass, $As{-}e^{1}$); Amneris, seine Tochter (Dramatischer Mezzosopran, $a{-}b^{2}$); Aida, eine äthiopische Sklavin (Dra-

matischer Sopran, auch Jugendlich-dramatischer Sopran, *c*[1]–*c*[3]); Radames, ägyptischer Feldherr (Heldentenor, auch Jugendlicher Heldentenor, *B*–*b*[1]); Ramfis, Oberpriester der Ägypter (Seriöser Bass, *Fis*–*f*[1]); Amonasro, König der Äthiopier und Vater von Aida (Heldenbariton, *A*–*fis*[1]; Ein Bote (Tenor, *cis*–*a*[1]); Eine Priesterin (Sopran, *d*[1]–*b*[2]); Chor: Volk der Ägypter, Minister, Priester und Priesterinnen, Hauptleute, Soldaten, Wachen, Sklaven und Sklavinnen, äthiopische Gefangene; Ballett: Priesterinnen, Sklavinnen
Orchester 3 Flöten (3. auch Piccoloflöte), 2 Oboen, Englischhorn, 2 Klarinetten, 1 Bassklarinette, 2 Fagotte, 4 Hörner, 2 Trompeten, 3 Posaunen, 1 Basstuba, Pauken, Triangel, Becken, Tamtam, Große Trommel, 2 Harfen, Streicher
Bühnenmusik 3 ägyptische Trompeten (»Aida-Trompeten«) in As, 3 ägyptische Trompeten in H, 4 Trompeten, 4 Posaunen, Große Trommel, Harfe, dazu eine Banda (original bestehend aus Piccoloflöte, 4 Klarinetten, 3 Hörnern, 5 Trompeten, 2 Flügelhörnern, 1 Tenorhorn, 2 Posaunen, 1 Baritontuba, 2 Basstuben, großer und kleiner Trommel)
Ort und Zeit der Handlung Memphis und Theben zur Zeit der Pharaonenherrschaft
Gliederung Preludio und vier Akte mit insgesamt sieben Bildern; durchkomponierte Form mit 18 relativ fest umrissenen Musiknummern
Spieldauer Ca. 2 Stunden 30 Minuten ohne Pause (1. Akt: ca. 40 Minuten, 2. Akt: ca. 40 Minuten, 3. Akt: ca. 35 Minuten, 4. Akt: ca. 35 Minuten)

1. Akt, 1. Bild (Königspalast von Memphis) Im Gespräch mit dem ägyptischen Oberpriester Ramfis erfährt der junge Feldherr Radames von einem drohenden Angriff eines äthiopischen Heeres auf Theben und das Niltal. Die Ägypter rüsten sich ihrerseits zum Kampf. Ramfis teilt Radames mit, dass die Göttin Isis durch ihr Orakel den Heerführer bereits ernannt hat – der König wird ihn noch heute verkünden. Radames hofft, der Erwählte zu sein: Zum einen, um als Feldherr Ruhm zu erlangen, zum anderen, um seine heimliche Geliebte, die äthiopische Sklavin Aida, endgültig für sich zu gewinnen und die Verbindung offiziell machen zu können. ▪ Radames liebt Aida, wird zugleich aber auch von der Pharaonentochter Amneris begehrt; sie gibt ihm ihre Zuneigung zu verstehen. Als Aida hinzutritt, bemerkt sie Radames' offensichtliche Sympathie für ihre Sklavin. Gegenüber ihrer Rivalin Aida wird sie zunehmend eifersüchtig, während Radames fürchtet, Amneris könnte die noch verborgene Liebe zwischen ihm und Aida entdecken. ▪ Gemeinsam mit seinem Gefolge erscheint der Pharao. Ein Bote berichtet vom Einfall einer von König Amonasro angeführten äthiopischen Streitmacht, die bereits Teile Ägyptens verwüstet habe. Im Verbund mit den Priestern, Ministern, Hauptleuten und Soldaten ruft der Pharao zum Krieg auf. Radames soll an der Spitze der ägyptischen Truppen stehen und den Sieg erkämpfen. Alle stimmen begeistert in den Kriegsruf ein und wünschen Radames und den Soldaten einen erfolgreichen Heerzug. Die Menge bricht zum Vulkan-Tempel auf, nur Aida bleibt zurück. Sie fühlt den Zwiespalt, in dem sie sich befindet: Auf der einen Seite ist sie ihrem Heimatland und ihrem Vater Amonasro verbunden, auf der anderen Seite liebt sie Radames, der jetzt gegen ihr Volk zieht. Sie fleht die Götter an, sich ihrer Not zu erbarmen. Am liebsten wäre ihr der Tod, um den Konflikt, unter dem sie leidet, zu lösen.
2. Bild (Tempel des Vulkan in Memphis) In einer feierlichen Zeremonie mit Priestergesang und Tänzen werden Radames die geheiligten Waffen überreicht, mit denen er das ägyptische Heer siegreich in den Kampf führen soll. Ramfis vereidigt Radames als Schützer und Rächer Ägyptens. Gemeinsam preisen sie den mächtigen Gott Phta.

Die Figurenkonstellation

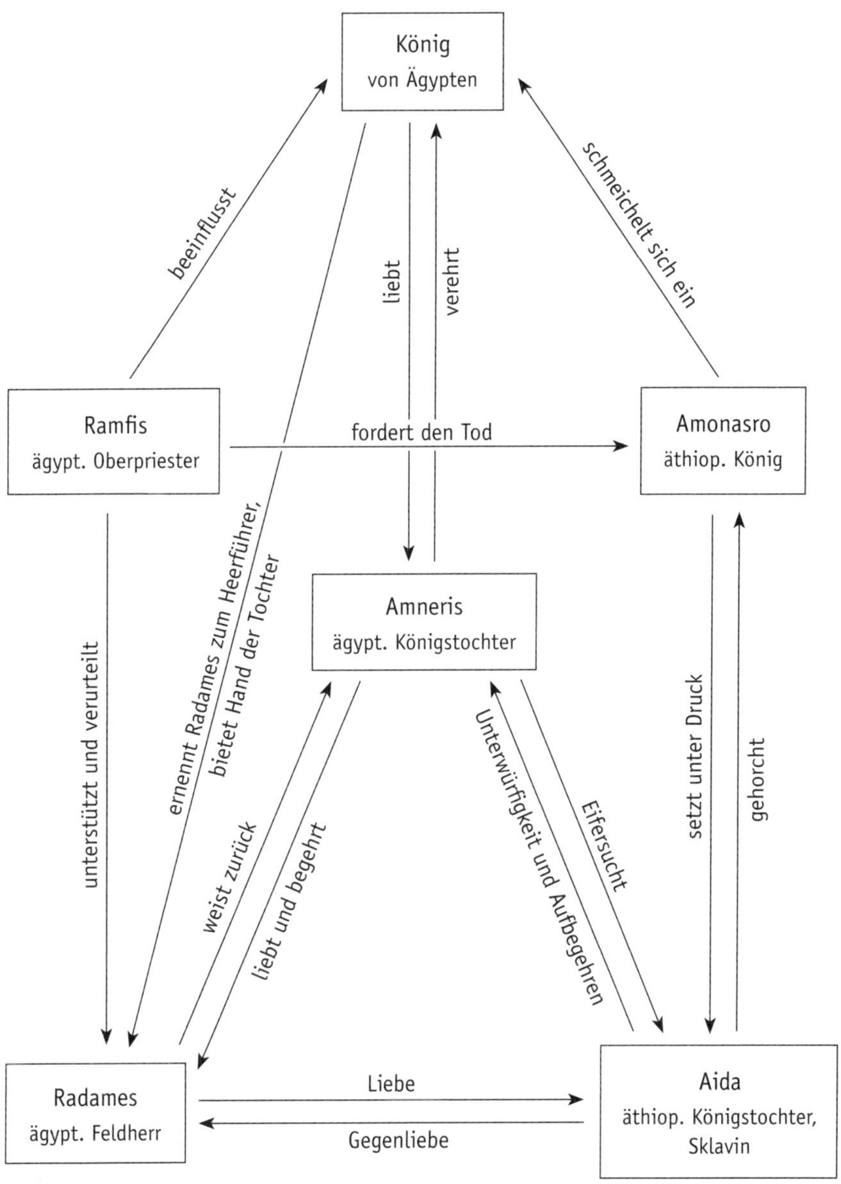

2. Akt, 1. Bild (In Amneris' Gemächern im Königspalast) Amneris wird für das Siegesfest geschmückt, das zu Ehren des heimkehrenden Heeres veranstaltet werden soll. Die Sklavinnen der Königstochter preisen Radames, der als Anführer des ägyptischen Heeres die Äthiopier vernichtend geschlagen hat. Als Aida erscheint, flammt ihre Eifersucht erneut auf. Klarheit über Aidas Verhältnis zu Radames gewinnt sie durch die bewusste Falschaussage, der Feldherr habe in der Schlacht den Tod gefunden. Aidas erschreckte Reaktion auf diese Nachricht lässt keinen Zweifel daran, dass diese Radames in Liebe verbunden ist. Amneris, die Aida daraufhin wahrheitsgemäß ins Bild setzt, dass Radames lebt und gesiegt hat, gibt sich ihr gegenüber als Konkurrentin zu erkennen: Als Pharaonentochter werde sie nicht hinter ihrer Sklavin zurückstehen, sondern Radames für sich gewinnen können. Aida begegnet dem offenen Ausbruch des Hasses gegen sie erst mit Trotz, dann fleht sie um Mitleid. Amneris fordert Aida auf, sie zur Siegesparade zu begleiten.
2. Bild (Vor den Toren Thebens) Ganz Ägypten – der Hofstaat, die Priesterschaft und das Volk – feiert den Sieg über die Äthiopier. Ruhm gebührt vor allem Radames, der die Huldigungen dankend entgegennimmt. Amneris krönt ihn mit einem Siegeskranz, während der König ihm verspricht, jeden seiner Wünsche zu erfüllen. Zum Triumphzug werden auch die äthiopischen Gefangenen vorgeführt, unter ihnen befindet sich Aidas Vater Amonasro. Aida erkennt ihn und eilt auf ihn zu, Amonasro bittet seine Tochter aber, ihn nicht zu verraten. Den Ägyptern gegenüber behauptet er, dass der König Amonasro im Kampf gefallen sei. Eindringlich appelliert er an den Pharao, Gnade gegenüber den Angehörigen seines Volkes zu üben. ▪ Ramfis und die Priester fordern jedoch den Tod der Gefangenen. Radames erinnert den Pharao an sein Versprechen und fordert von ihm die Freilassung der Äthiopier. Der Herrscher willigt ein, verlangt aber, dass Amonasro und Aida als Geiseln in Ägypten bleiben, während alle anderen in ihre Heimat zurückkehren können. Als Belohnung für seine Taten bietet er Radames die Hand seiner Tochter Amneris an – diese triumphiert, während Aida kaum mehr hoffen kann, mit Radames vereint zu werden. Radames hingegen ist bereit, auf die Thronfolge zu verzichten, wenn er nur gemeinsam mit Aida leben könne. Die Ägypter setzen ihren prächtigen Triumphzug fort.
3. Akt (Am Ufer des Nil) Zu nächtlicher Stunde führt Ramfis Amneris in den Tempel der Isis, wo sie die Göttin um eine glückliche Zukunft mit Radames bitten wollen. In unmittelbarer Nähe hat sich Aida eingefunden – sie ist von Radames zu einem Treffen hierher gebeten worden. Aida erinnert sich an die Schönheiten ihrer Heimat, die sie vermutlich nie wiedersehen wird. Und sollte ihr Radames Lebewohl sagen, werde sie im Nil ihr Grab finden. ▪ Zunächst erscheint jedoch ihr Vater Amonasro, der von Aidas Liebe zu Radames erfahren hat und sie bedrängt, ihm zur Seite zu stehen. Da neue kriegerische Auseinandersetzungen bevorstehen, möchte Amonasro Kenntnis von den geheimen Plänen der Ägypter haben. Er versucht unter Berufung auf ihre Vaterlandsliebe, Aida dazu zu bewegen, Radames zum Verrat anzustiften. Als diese sich weigert, droht er sie zu verstoßen – sie sei nichts weiter als eine Sklavin der Pharaonen und nicht länger würdig, die Tochter des äthiopischen Königs zu sein. Unter diesem Druck willigt Aida schließlich ein. ▪ Als er Radames kommen hört, verbirgt sich Amonasro. Radames bekräftigt Aida gegenüber noch einmal, dass er sie liebt; nach einem neuerlichen Sieg über die Äthiopier ist er gewillt, sie ohne Wenn und Aber zu seiner Frau zu nehmen. Aida jedoch fürchtet den Hass und die Rache Amneris', die sich zweifellos auf

sie beide entladen werden. Besser wird es sein, gemeinsam zu fliehen, womit Radames nach einigem Zögern auch einverstanden ist. Als sie aufbrechen wollen, fragt Aida ihn nach einem sicheren Weg, die ägyptischen Truppen zu umgehen. Radames nennt ihr ahnungslos den Ort, den Amonasro, aus seinem Versteck hervortretend, triumphierend wiederholt. Er gibt sich als König der Äthiopier zu erkennen, der nunmehr im Besitz eines wichtigen Kriegsgeheimnisses ist. ▪ Radames begreift voller Bestürzung seinen Verrat. Amonasro fordert ihn auf, mit ihm und Aida die Flucht zu wagen, er fühlt sich dazu jedoch nicht imstande. Die aus dem Tempel kommende Amneris entdeckt den Verrat – Amonasro will sie töten, Radames wirft sich jedoch dazwischen. Die Wachen, die der ebenfalls erscheinende Ramfis alarmiert hat, können die Flucht von Amonasro und Aida nicht verhindern. Radames bleibt zurück und stellt sich dem Oberpriester, der ihn festnehmen lässt.

4. Akt, 1. Bild (Saal im Königspalast, unter dem sich eine unterirdische Gerichtskammer befindet) Amneris fühlt sich in einer verzweifelten Lage: Ihr geliebter Radames ist des Hochverrats angeklagt, ihre Rivalin Aida geflohen. Um Radames vor dem sicheren Tod zu retten, lässt sie ihn zu sich bringen und beschwört ihn, Aida zu entsagen und sich zu ihr, Amneris, zu bekennen – dann könnte sie ein gnädiges Urteil erwirken. Radames weigert sich jedoch, auf diesen Vorschlag einzugehen, gerade auch als er erfährt, dass zwar Amonasro auf der Flucht getötet wurde, Aida aber noch am Leben ist. Er wird in einen unterirdischen Raum geführt, wo ihn das Gericht erwartet. ▪ Im Prozess schweigt Radames zu allen Vorwürfen, die von Ramfis vorgetragen werden. Die Anklagen und der dreimalige Schuldspruch, dass Radames ein Verräter ist, dringen zu Amneris, deren Verzweiflung sich immer weiter steigert. Radames wird dazu verurteilt, bei lebendigem Leibe in eine Grabkammer unterhalb des Vulkan-Tempels eingemauert zu werden. Amneris verflucht die unmenschlichen Priester.

2. Bild (Szenerie mit zwei Ebenen: oben der Vulkan-Tempel, unten ein unterirdisches Gewölbe) Im dunklen Verließ erwartet Radames den Tod. Im Traum glaubt er seine geliebte Aida zu hören und zu sehen – es ist jedoch kein Wahnbild, sondern sie selbst, die sich heimlich in die Grabkammer geschlichen hat, um gemeinsam mit Radames zu sterben. Bewegt nehmen sie Abschied vom Leben, während über dem geschlossenen Gewölbe Amneris um Frieden für die Lebenden und Sterbenden bittet.

Die musikalische und dramaturgische Gestaltung

Die einzelnen musikalischen Nummern im Werkzusammenhang

Von den Anfangstakten bis zum Schluss von *Aida* spannt sich ein weiter Bogen. Der Klang scheint aus dem Nichts zu kommen und erlischt auch wieder. Auf dem langen Weg vom Beginn bis zum Ende der Oper allerdings wächst er wiederholt zu immenser Stärke an, greift ins Monumentale aus und lässt eine Kraft spürbar werden, die nicht anders als »elementar« zu bezeichnen ist. *Aida* ist ein Werk, das auf der Ebene des Klanglichen – gleichermaßen die Farben wie die Wirkungen betreffend – seine besonderen Qualitäten besitzt, das sich zu einem wesentlichen Teil sogar darüber definiert. Zudem spielt die Arbeit mit wiederkehrenden Themen und Motiven eine entscheidende Rolle. Die Werke Wagners mögen hier zwar Orientierung geboten haben, dennoch ist Verdis Umgang mit prägnanten musikalischen Gestalten, die schlaglichtartig eine bestimmte Person oder Situation umreißen, von ganz eigener Art. Allzu zahlreich sind die Motive bzw. Themen nicht, die Verdi zur Charakterisierung einsetzt, auch ist ihr Variantenreichtum – gerade im Vergleich zu den »Leitmotiven« seines deutschen Zeitgenossen – weniger groß, dennoch besitzen sie eine wichtige Funktion im Blick auf die Entfaltung und den wahrnehmbaren Stimmungsgehalt des Dramas. Sie bilden die klangliche Folie für die auftretenden Figuren und geben zugleich Einblicke in ihr Inneres. Einige dieser einprägsamen Tonfolgen begleiten den Hörer durch das gesamte Werk hindurch, vom Preludio bis zur Finalszene.

»Aida« – Der Aufbau der Oper

Preludio

1. Akt, 1. Bild

Introduktion und Szene Ramfis, Radames *Sì: corre voce*

Rezitativ und Romanze Radames *Se quel guerrier io fossi! / Celeste Aida*

Duett Amneris, Radames *Quale insolita gioia*

Terzett Aida, Amneris, Radames *Vieni, o diletta, appressati*

Szene und Ensemble Aida, Amneris, Radames, Bote, Ramfis, König, Chor (Priester, Minister, Hauptleute) *Alta cagion v'aduna / Su! del Nilo al sacro lido*

Szene und Romanze Aida *Ritorna vincitor! / Numi, pietà*

2. Bild

Große Tempelszene und erstes Finale Priesterin, Radames, Ramfis, Chor (Priesterinnen und Priester) *Possente Fthà* / Heiliger Tanz der Priesterinnen / *Nume, custode e vindice*

2. Akt, 1. Bild

Introduktion Amneris, Chor (Sklavinnen) *Chi mai fra gl'inni e i plausi* / Tanz der kleinen Mohrensklaven

Szene und Duett Aida, Amneris, Chor *Fu la sorte dell'armi / Ben ti compiango!*

2. Bild

Gran Finale Aida, Amneris, Radames, Amonasro, Ramfis, König, Chor (Volk, Priester, Minister, Hauptleute, Gefangene) *Gloria all'Egitto, ad Iside* / Ballabile / *Vieni, o guerriero vindice / Salvator della patria / Grazie agli Dei / Ma tu, Re, tu signore possente / O Re: per sacri Numi / Gloria all'Egitto, ad Iside*

3. Akt

Introduktion und Romanze Amneris, Ramfis, Chor (Priesterinnen und Priester), Aida *O tu che sei d'Osiride / Qui Radames verrà! / Oh patria mia, mai più ti rivedrò!*

Duett Aida, Amonasro *A te grave cagion m'adduce, Aida*

Duett Aida, Radames *Pur ti riveggo mia dolce Aida*

Szene und Finale Aida, Radames, Amonasro, Amneris, Ramfis / *Tu … Amonasro! / Traditor!*

4. Akt, 1. Bild

Szene und Duett Amneris, Radames *L'aborrita rivale a me sfuggia / Già i sacerdoti adunansi*

Gerichtsszene Amneris, Ramfis, Chor (Priester) *Ohimè! … morir mi sento / Spirto del Nume / Sacerdoti: compiste un delitto!*

2. Bild

Szene und Duett, Finale Aida, Radames, Amneris, Chor (Priesterinnen und Priester) *La fatal pietra sovra me si chiuse / Immenso Fthà / O terra addio; addio valle di pianti*

Preludio: Aida und die Priester

In äußerster Zartheit setzt das Vorspiel zur Oper ein – in gemäßigtem Tempo, mit gedämpften Klängen. Allein die 1. Violinen sind es, die den Auftakt zu *Aida* geben, mit einer musikalischen Figur, deren Zuordnung zur Titelgestalt offensichtlich ist:

Etwas unwillkürlich Drängendes liegt in dieser Musik, etwas zögernd in die Höhe Strebendes. In dem überaus filigranen, klar phrasierten und mit reizvollen Chromatismen angereicherten Tonsatz, der den ersten Abschnitt des Preludio bestimmt, sind Momente von Fragilität und Verletzlichkeit, zugleich aber auch von Eleganz und Noblesse spürbar – sie alle verdichten sich zu eindringlichen Klängen von großer atmosphärischer Wirkung.

Kammermusikalisch sind diese ersten 17 Takte gehalten. Von der Einstimmigkeit des Beginns ausgehend wird die Satzdichte zwar nach und nach größer, die Dynamik jedoch verbleibt in Pianissimo-Bereichen. Auch verzichtet Verdi hier – von den abschließenden Akkorden abgesehen – auf ein eigentliches Bassfundament. Man ist geneigt, Parallelen zu ziehen: Zum Vorspiel von *La traviata* etwa, aber auch zu demjenigen von Wagners *Lohengrin*, die beide einer vergleichbaren klanglichen Disposition folgen, bei denen ähnlich schwerelose Klänge einkomponiert sind und vergleichbare Effekte erzielt werden.

Der folgende 13 Takte lange Abschnitt ist von deutlich anderer Gestalt. Hier kommt die Gegenwelt zum Vorschein, in Art einer ernst und würdevoll sich gebenden abwärtssteigenden Tonfolge, die in ebenso eindeutiger Weise wie das einleitende »Aida-Motiv« auf eine bestimmte Figur (bzw. eine Figurengruppe) bezogen ist. Ramfis und die Priester sind es, die mittels dieses markanten Motivs, das wie ein Signum eingesetzt ist, charakterisiert werden:

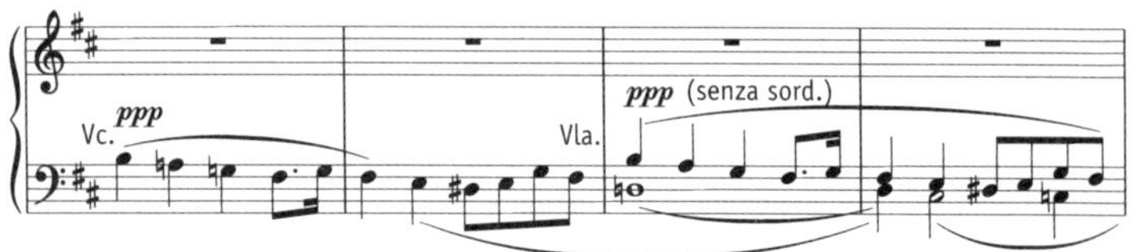

Eine besondere Strenge, wie sie der ägyptischen Priesterschaft zweifellos eigen ist, spricht aus dieser Musik. Verdeutlicht wird sie durch den gemessenen Schritt, in dem sich die Bewegung vollzieht, vor allem aber durch die Imitation dieser Tonfolge in wechselnden Stimmen und Instrumenten: Das strikt durchgeformte kontrapunktische Gebilde, das hier aufgebaut wird, legt die Deutung nahe, dass hier eine Personengruppe gekennzeichnet wird, die nach ebenso strengen Regeln organisiert ist. Gegenüber den sordinierten Klängen der hohen Streicher, die den Anfang des Preludio prägten, treten nunmehr ungedämpfte Töne, zudem in deutlich tieferer, sonorer Lage. Und auch dynamisch gibt es den ersten Aufschwung: Vom dreifachen Piano und dem alleinigen Einsatz der Violoncelli ausgehend wird der Klang binnen weniger Takte bis zum Fortissimo, für dessen Erzeugung das gesamte Orchester verantwortlich ist, ausgefahren und wächst kurzzeitig zu geradezu bedrohlicher Größe an.

Auf diesem ersten Höhepunkt taucht auch das »Aida-Motiv« – nunmehr in klanglicher Forcierung – wieder auf, das mit dem immer noch präsenten »Priester-Thema« überlagert wird, sodass einige der Grundkonflikte des Dramas sofort und unmissverständlich zutage treten: die Dichotomie von Freiheitsdenken und Zwang ausübender Autorität (symbolisiert durch die unterschiedliche Faktur und den differierenden Charakter der beiden Motive), die verschiedenen Welten der Äthiopier und der Ägypter mit ihren je eigenen Maßgaben und Vorstellungen, sodann auch das unvermittelte Nebeneinander von empfindsamen, leidgeprüften Frauenfiguren und machtbewussten männlichen Herrschern, schließlich das Auseinanderdriften von himmelsstrebender, jedoch weitgehend ungeerdeter Höhe und dunkler, profunder Tiefe, das durchaus auch als Symbol für zwei sehr unterschiedliche Lebensentwürfe und Existenzweisen zu deuten ist.

Der weitere Verlauf des Preludio stellt nur noch eine Ausformulierung dieses grundlegenden gedanklichen Ansatzes dar. Das »Aida-Motiv« wird zum Kern, aber auch Fragmente des »Priester-Themas« als kontrastierendes Element sind wiederholt in die Partitur einbezogen. Nochmals wird ein dynamischer Höhepunkt initiiert, bevor die Musik in die Zartheit des Beginns zurückgeführt wird und in sanftem D-Dur endet. Innerhalb von nur wenigen Minuten gelingt es Verdi, einen ersten, bereits sehr prägnanten Eindruck des zu erwartenden dramatischen Geschehens zu vermitteln. Dabei wird schon jetzt eine Klangpalette erschlossen, die in den folgenden Akten, Bildern und Szenen in vielfach ausdifferenzierter Form eingesetzt werden wird.

Introduktion und Szene Ramfis, Radames »Si: corre voce«: Ägypten in Gefahr

Am Beginn der eigentlichen Handlung erleben wir Ramfis und Radames im Gespräch. Von einfachen Figuren vom Orchester begleitet, die sich offenkundig an der »Priestermusik« des Vorspiels orientieren, dominiert ein vergleichsweise nüchterner, unpathetischer Berichts- und Frageton. Radames scheint sich relativ ungestört in der ihm eigentlich fremden Welt der Priester zu bewegen. Noch kann er auch seine Unruhe verbergen, noch hält er seine Emotionen im Zaum, auch wenn Ramfis, der offenbar schon von dem erwählten Heerführer weiß, ihm gleichsam »unter der Hand« deutlich zu machen sucht, dass dieser kein anderer als Radames ist.

Radames' Rezitativ »Se quel guerrier io fossi!« und Romanze »Celeste Aida«: Der träumende Feldherr

In der folgenden Soloszene brechen denn auch unverstellt die Träume und Wünsche von Radames hervor. Doppelter Ehrgeiz treibt ihn an: Als ruhmreicher Feldherr zurückzukehren ist ebenso sein Begehren wie sich mit Aida zu verbinden. Beides spricht aus seinem enthusiastisch vorgetragenen Rezitativ, das durch kriegerisch anmutende, vornehmlich den Blechbläsern zugedachte Klänge grundiert ist. Hohe Töne der Holzbläser sowie der 1. Violinen schaffen den Übergang in einen der berühmtesten Abschnitte von *Aida*, ein wahres Paradestück für die Tenöre des italienischen Fachs. »Celeste Aida« – »Holde Aida«, die Romanze des Radames, lässt den ganzen melodischen Zauber erfahren, zu dem Verdi imstande war und der in nahezu jeder seiner Opern zum Tragen kommt. Dennoch handelt es sich hier um einen besonderen Fall, fand er doch eine geradezu perfekte Balance zwischen einer effektvollen Entfaltung der Kantilenen und einer profilierten Orchestersprache.

Einfallslos und stereotyp ist die Begleitung des Gesangs keineswegs, bringt Verdi doch immer wieder interessante harmonische Wendungen (etwa das plötzliche Eintrüben des lichten B-Dur nach b-Moll) und Klangfarben hinein, dazu kommt eine rhythmische Flexibilität, die noch zusätzlich Expressivität generiert. Teilweise übernehmen die Instrumente sogar die Linienführung oder bilden flirrende Klangflächen, auf denen eine musikalische Gestalt konturiert hervortreten kann. In entspannt schwingender, nie überhetzter 6/8-Bewegung vollziehen sich die melodischen Aufschwünge, die den Solisten mehrfach zum hohen *b* – dem mehr als 30-mal im Laufe der gesamten Oper erreichten Spitzenton der Partie – hinaufführen. Aufführungspraktisch heikel ist vor allem der letzte

Ton (am Ende einer planvoll aufgebauten Phrase auf »un trono vicino al sol« – »einen Thron nahe an der Sonne«), den Verdi ersterbend ausklingen lassen möchte, während die meisten Sänger ihn indes so gestalten, dass er vom Piano ausgehend anschwillt und dann unvermittelt abbricht. Stimmtechnisch ist dies zwar einfacher zu handhaben, den Intentionen des Komponisten läuft eine solche Praxis aber eigentlich zuwider.

Steckbrief: Ramfis

Der ägyptische Oberpriester ist einer jener Operngestalten, die nach Möglichkeit teils ganz direkt, teils aus dem Hintergrund heraus die Fäden in der Hand behalten wollen. Mal offen, mal verborgen lassen sie ihre Macht spielen, um sich Einfluss auf andere Personen zu verschaffen. Nicht umsonst hat Verdi in seiner *Disposizione scenica* Ramfis als eine majestätische Erscheinung von etwa 50 Jahren charakterisiert, dem autoritäre, gar grausame Züge eigen sind. Ob er wirklich der »heimliche Herrscher« Ägyptens ist, als der er des Öfteren gekennzeichnet wird, sei dahingestellt, in jedem Falle gehört er in seiner Eigenschaft als Haupt der Priesterschaft zu den bestimmenden Figuren im Spiel der politischen Kräfte.

Ramfis ist Herr über die religiösen Zeremonien, die in verschiedenen Szenen der Oper gezeigt werden. Im Tempel des Phtà, bei der Übergabe des heiligen Schwertes an Radames und dem Schwur des Feldherrn im 2. Bild des 1. Aktes, besitzt er ebenso die Oberhoheit wie im Tempel der Isis, in den er Amneris zu Beginn des 3. Aktes führt. Darüber hinaus steht er dem Gericht vor, das Radames im Schlussakt verurteilt. Ramfis ist es selbst, der die Anklage (Geheimnisverrat, Fahnenflucht und Eidesbruch) Punkt für Punkt vorträgt und das Schweigen des Delinquenten registriert. Die Entscheidung der Priester, Radames mit dem Tod zu bestrafen, trägt er ohne Abstriche mit; auch die Bitten von Amneris, zu der er ansonsten ein fast väterliches Verhältnis pflegt, können ihn nicht umstimmen.

Mit Sympathie war Ramfis zunächst auch Radames begegnet. Ihr kurzer Dialog am Beginn des 1. Aktes, in dem er dem jungen Hauptmann vom bevorstehenden Krieg berichtet und ihm Hoffnungen macht, womöglich den Feldzug anführen zu können, deutet darauf hin. Den offensichtlichen Verrat (den Radames auch nicht leugnet) kann er jedoch nicht tolerieren – im Sinne der Staatsraison bleibt ihm im Grunde keine andere Wahl, als das Todesurteil zu verhängen. Der Gesamteindruck, ein machtbewusster, herzloser Autokrat zu sein, wird dadurch entscheidend verstärkt.

Das Duett »Quale insolita gioia«: Die hoffende Pharaonentochter

Bei den letzten, klanglich wiederum sehr zarten und transparenten Takten der Romanze tritt Amneris hinzu. Sie wird hier und im weiteren Verlauf wesentlich durch ein Motiv charakterisiert, das Bestimmtheit und Unsicherheit in sich zu vereinigen scheint. Ausgedrückt wird das durch einen länger ausgehaltenen Ton, an den sich eine Triolenfigur anschließt, die als zusammenhängende rhythmische Gestalt häufig dann auftauchen, wenn Amneris aktiv in das Geschehen eingreift. Die sie beherrschende innere Unruhe mag hier verkörpert sein, zugleich aber auch der äußerliche, ornamentale Glanz, der ihr gesamtes Wesen umstrahlt. Von adliger Attitüde ist ihr Auftritt in jedem Fall geprägt – im Bewusstsein, als Tochter des Pharao über eine herausgehobene Position zu verfügen und sich das nehmen zu können, wonach sie verlangt, spielt sie die Starke und Gönnerhafte. Radames, noch ganz in seine Träume von Sieg und Liebe versunken, bemerkt die kaum versteckten Avancen von Amneris erst nach einiger Zeit. Während sich das Duett zunächst in gemäßigtem Tempo entfaltet, kommt in einem merklich beschleunigten Abschnitt sein Misstrauen schlagartig zum Vorschein: Er fürchtet um die Entdeckung seines Geheimnisses, Unruhe ergreift auch ihn. Auf Amneris färben Radames' musikalische Äußerungen insofern ab, als dass sie in gleichem Maße in die einmal angeschlagene Agitato-Bewegung hineingezogen wird und ihre vormalige majestätische Beherrschung verliert. Das kurz zuvor noch Undenkbare wird plötzlich zur realen Gefahr: Womöglich begehrt Radames nicht sie, sondern eine andere. Ihre Befürchtungen bestätigen sich, als Aida unter den Klängen des ihr zugedachten Motivs auftritt – sofort verändert sich die Atmosphäre, sofort werden die Beziehungen zwischen den drei Hauptfiguren, die nun erstmals gemeinsam auf der Bühne sind, erkennbar. Während zwischen Radames und Aida auch ohne Worte inneres Einverständnis herrscht, wird Amneris von Eifersucht ergriffen – ihre erstmals in höhere Lagen geführte Stimme und die innerhalb weniger Takte spürbar intensivierte Musik vergegenwärtigen dies sehr plastisch.

Das Terzett »Vieni, o diletta, appressati«: Liebe und Eifersucht

Amneris ist es auch, die nach diesem kurzen Moment des Erstaunens das Heft des Handelns in die Hand nimmt. Das Tempo hat sich wieder ein wenig beruhigt, der grundlegende Affekt ist indes geblieben. Wiederum tauchen die für Amneris so charakteristischen Triolenfiguren auf, teils direkt in der Gesangsstimme, teils im Orchester. Ihre zunächst noch verbindlich-freundlich wirkende Hinwendung zu Aida findet ihr Echo in der

Steckbrief: Radames

Träumerisch und empfindsam veranlagt ist er durchaus, kriegerisch und kraftstrotzend nicht minder. Das Bild eines Mannes mit weichem Kern und harter Schale drängt sich auf, ohne dass die Figur des Radames jedoch in einer solchen Charakterisierung vollständig erfasst wäre. Verdi sieht ihn als einen etwa 24-jährigen begeisterungsfähigen jungen Helden, der Ruhm und großen Taten im Blick hat.

Am Beginn der Oper hat Radames den Rang eines Hauptmanns der Wache inne. Eine militärische Karriere wäre ihm recht – nicht umsonst macht er sich Hoffnungen, zum Befehlshaber des ägyptischen Heeres berufen zu werden. Sollte er siegreich heimkehren, würden nicht allein Ruhm und Ehre sein Lohn, sondern auch Aida: Vor aller Welt würde er seine Liebe zu ihr bezeugen und ihr einen Thron nahe am Himmel errichten.

So schön dieser Traum auch sein mag, so unüberwindbar sollten die Hürden sein, die sich ihm entgegenstellen. Zwar wird Radames mit der Führung der Truppen gegen die äthiopischen Invasoren betraut, zwar zieht er auch als glänzender Sieger in Theben ein, eine Verbindung mit Aida erweist sich indes als Illusion. Statt ihrer überreicht die Pharaonentochter Amneris den Siegeskranz, der König bietet ihm sogar die Hand seines Kindes an. Radames spürt das Verlangen Amneris' und ihren unbändigen Hass Aida gegenüber, zaudert jedoch bei zwei wichtigen Entscheidungen: Weder weist er Amneris kaum versteckte Liebesbekundungen und die Offerte des Pharao zurück noch bekennt er sich offen zu Aida.

Der Fall folgt auf dem Fuß. Der – wohl eher halbherzig gefasste – Entschluss, Ägypten zu verlassen und gemeinsam mit Aida nach Äthiopien zu fliehen (was bedeutet, fortan in seiner Heimat eine persona non grata zu sein), wird durch eine für Radames immens tragische Wendung nicht verwirklicht. Unbeabsichtigt verrät er ein streng gehütetes Militärgeheimnis – ein Vergehen, das ihn letztlich um Kopf und Kragen bringt. Im Bewusstsein seiner Schuld stellt er sich dem Gericht; einem letzten von Amneris initiierten Rettungsversuch verweigert er sich, um nicht auch noch seine Liebe zu Aida zu verraten. Erst im Angesicht des Todes, eingemauert in der unterirdischen Grabkammer, wird ihm eine unverhoffte Freude zuteil: Wenn schon nicht im Leben, so wird er mit der geliebten Aida wenigstens im Sterben vereint sein.

ersten Passage, die der Titelgestalt in den Mund gelegt ist: Eine erregt vorgetragene Offenbarung des eigenen Inneren, die von tiefer Sorge um das Leben von ihr nahestehenden Personen und um ihre kriegsbedrohte Heimat getragen ist. Die Musik teilt uns dieses emotionale Befinden durch das beschleunigte Tempo und den unsteten Rhythmus deutlich mit, zugleich lässt sie auch die Unsicherheit spürbar werden, in die Aida angesichts der Situation geworfen ist, mit der sie konfrontiert wird. In einem nun beginnenden schnellen Abschnitt, dem eigentlichen Terzett, in dem jede Figur für sich singt, treten die unterschiedlichen Gefühlslagen offen zutage: Amneris lässt dem aufgekeimten Hass ihrer Sklavin gegenüber freien Lauf, Radames wiederum beobachtet mit Erschrecken die Wandlung, die in Amneris vonstattengegangen ist und fürchtet um Aida, während diese selbst zwischen ihrer Liebe zu Radames und ihrer Verbundenheit zum Land ihrer Herkunft hin- und hergerissen ist. Ihr Gesang, der am Ende in einem hohen *h* gipfelt, ist von bemerkenswerter Eindringlichkeit: Fast choralartig angelegt und in natürlich strömende Kantilenen thront er über den Gesangslinien von Amneris und Radames, die trotz der verschiedenen Affekte einander auffallend ähnlich sind. Kleingliedrige, aber energisch vorwärtsdrängende Figuren sowie geschärfte Rhythmen und Akzentsetzungen im Orchester sorgen wie bereits im vorhergehenden Duett für eine zusätzliche Dynamisierung der Musik.

Szene und Ensemble »Alta cagion v'aduna / Su! del Nilo al sacro lido«: Kriegsfurcht und Kriegsbegeisterung

Einen Vorgeschmack auf das Gran Finale des 2. Aktes bietet eine Ensembleszene, die erstmals viele Personen auf der Bühne versammelt. Bis auf Amonasro sind alle maßgeblichen Protagonisten präsent, zudem der stark besetzte Männerchor. Auch das Orchester schlägt Töne an, die an die noch folgende Triumphszene gemahnen, wenngleich unter anderen Vorzeichen: Noch ist die Schlacht nicht geschlagen, noch ist keineswegs sicher, ob eine Siegesfeier ausgerichtet werden kann oder – im schlimmsten Falle – Ägypten erobert wird. Die Kriegsmusik, wie sie schon in der Soloszene von Radames anklang, kommt hier zur vollen Entfaltung. Trompetensignale sind zu vernehmen, kraftvoll gesetzte Bläserakkorde, die einen weiten Tonraum ausschreiten (vom Einklang auf *e* ausgehend rücken die Harmonien über a-Moll nach H-Dur, um dann, durch eine Kadenz bekräftigt, in ein strahlendes C-Dur zu münden), um zum Auftritt des Königs hinzulenken. Dieser spricht zwar staatstragende Worte, wird aber lediglich von Violoncelli und Kontrabässen instrumental abgestützt. Weit aufregender gestaltet sich der Bericht des Boten (»Il sacro suolo dell'Egitto« – »Die heilige Erde Ägyptens«), der sehr eindringlich und mit punktgenauen Akzenten die Gefahren beschwört, die Ägypten durch den Einfall des äthiopischen Heeres drohen. Zwei Einwürfe von Solisten und Chor zeigen die gespannte Anteilnahme der Versammelten; die suggestiv vorgetragene Nachricht von der Aufrüstung Thebens, um den Eroberern aus dem Süden wirksam entgegenzutreten, mündet in einem kämpferischen Appell des Königs an seine Untertanen. Der Ruf nach Krieg (»Guerra!«) ergreift alles und jeden, mit Ausnahme von Amneris und Aida. Tremoloflächen grundieren die Bekanntmachung des Königs, wer zum Heerführer erwählt worden ist. Erst als der Name Radames fällt, greifen auch die beiden Frauen in das Ensemble ein, die eine eher mit dem Ausdruck des Stolzes, die andere mit dem der Sorge.

Von den Worten des Pharao ausgehend, der dazu auffordert, die heiligen Waffen zu ergreifen und Ägypten mit allen nur möglichen Mitteln zu verteidigen, entwickelt sich eine markante Szene, die auf der einen Seite von hymnenartiger Feierlichkeit und Größe – nicht umsonst ist dieser Abschnitt mit »Allegro maestoso« überschrieben – getragen ist, andererseits aber auch durch den Einsatz von Blech und Schlagwerk jene martialischen Elemente, die im Gran Finale noch einmal intensiviert erscheinen, nur zu deutlich hervortreten lassen:

In der Anlage mit zweigeteilter Strophe und refrainartigem Nachsatz schafft Verdi ein klares musikalisches Grundgerüst, auf dessen Basis alle beteiligten Figuren offen oder a parte (beiseite) gesungen ihr Denken und Fühlen entäußern können. Dem König und Ramfis ist die erste Strophe in A-Dur zugedacht, bevor der Chor einfällt; die zweite, in relativ weit von der Grundtonart entferntem C-Dur stehende Strophe singen indes Radames, Aida und Amneris, wobei der innere Zwiespalt, in dem sich Aida befindet, durch gegen das Metrum gesetzte Synkopen sinnfällig zum Ausdruck gelangt – der Marsch, den die kriegsbegeisterten Ägypter begonnen haben, scheint für kurze Momente aus dem Takt zu kommen. Im Zuge einer Steigerung am Ende der Szene (jetzt wieder in A-Dur) werden die »Guerra«-Rufe noch einmal aufgenommen, nunmehr vom vollen Chor und vollen Orchester in ausladender Klangstärke herausgeschleudert. In Amneris' fordernd an Radames gerichteten Worte »Ritorna vincitor!« – »Als Sieger kehre zurück!« stimmen alle – selbst Aida – ein: im gleichen Gestus und mit energisch nach oben aufsteigender Melodielinie. Ein letztes Mal ertönt die Kriegshymne, diesmal im Glanz des großen Orchesters. Unter diesen aufpeitschenden Klängen gehen alle ab, nur Aida bleibt zurück.

Aidas Szene »Ritorna vincitor!« und Romanze »Numi, pietà«: Die Heldin im Zwiespalt

Ihr inneres Ringen gewinnt Gestalt in der ersten Solo-Szene, die Verdi und Ghislanzoni für sie vorgesehen haben. Mit dem vorhergehenden Ensemble ist sie direkt verzahnt, da die kurze Phrase auf »Ritorna vincitor!« – die durchaus im Sinne einer für Verdi so wichtigen »parola scenica« verstanden werden kann – wieder aufgenommen wird, jedoch in rhythmisch etwas abgeänderter, ohne die prägnanten Punktierungen auskommenden Form, zudem vom strahlenden Dur ins Moll verkehrt. Nach Art eines Rezitativs, in dem die Sprache mit großer Sensibilität behandelt wird, ist diese Szene zunächst ausgestaltet. Die schier unlösbaren Konflikte, in denen sich Aida befindet, werden eindringlich musikalisch vergegenwärtigt, ob nun mittels kraftvoller Forte-Ausbrüche oder merklich zurückgenommener, aber ebenso expressiver Passagen. Je mehr die Szene fortschreitet, umso stärker treten die kantablen Momente zutage: Spätestens mit dem Auftreten des »Aida-Motivs« in Verbindung mit einem gemäßigten Andante-Teil dominiert die musikalische Linie den künstlerischen Ausdruck. Zwar schaltet Verdi eine Agitato-Episode dazwischen (»I sacri nomi ...« – »Die heilige Namen ...«), die von Traurigkeit ebenso ist wie von besänftigenden Tönen, die Tendenz hin zum Melodiösen – und damit die Tendenz hin zum Reflexiven statt zum Ekstatischen – ist jedoch eindeutig. Der Schlussabschnitt, bezeichnenderweise mit »Cantabile« und »con espressione« überschrieben, markiert nur das Ende dieser Entwicklung: Tremoloklänge der hohen Streicher bilden das fragil wirkende Fundament, auf dem Aida ihre drängende Bitte um Erbarmen (»Numi, pietà« – »Götter, Erbarmen«) in Gestalt einer Melodielinie von bezwingender Schönheit artikuliert:

Erst in den letzten Takten kommen die tiefen Instrumente hinzu und schaffen eine stabilere Abstützung des Tonsatzes. Am Ende der Szene – und

Steckbrief: Aida

Als äthiopische Königstochter ist sie von edler Herkunft, in Ägypten ist sie hingegen zunächst ein Niemand. Unter welchen Umständen Aida als Sklavin an den Hof des Pharao gekommen ist, wird nicht aufgeklärt. Fest steht allenfalls, dass sie einer anderen Kultur entstammt, womit sie in gewisser Weise das »Fremde« verkörpert. In einem seiner *Disposizione scenica* beigegebenen Personenverzeichnis beschreibt Verdi seine Aida als eine 20-jährige junge Frau, erfüllt von Liebe, Ehrfurcht und Sanftheit. Außerdem ist sie dunkelhäutig, was sie von den Ägyptern abhebt und ihr zugleich einen eigentümlich exotischen Reiz verleiht.

Anziehend wirkt sie auf Radames – die sich entwickelnde Liebe zwischen beiden ist Auslöser eines Konflikts, den Aida nur schwer steuern, geschweige denn beherrschen kann. Da auch die nach Verdis Vorstellungen in etwa gleichaltrige ägyptische Königstochter Amneris ein Auge auf den charismatischen jungen Krieger geworfen hat, wird sie unversehens zur Rivalin der – zumindest in Ägypten – sozial ungleich höher stehenden Amneris: Ihr Neid und ihre Eifersucht werden sie bis zum Schluss verfolgen.

Jedoch ist Aida nicht nur in diese für nicht wenige Opern des 19. Jahrhunderts typische Dreieckskonstellation verstrickt, sondern noch in ein anderes Dilemma. Mit der Gefangennahme ihres Vaters Amonasro, der zusammen mit den anderen besiegten Äthiopiern vor den Pharao und das »offizielle Ägypten« geführt werden, sieht sie sich ihm gegenüber in der Pflicht. Weder verrät sie ihn, der sich unerkannt in den Zug der Gefangenen eingereiht hat, noch verweigert sie sich seiner nachdrücklichen Aufforderung, von Radames die geheimen Kriegspläne in Erfahrung zu bringen.

Ihrer Verantwortung als Tochter ist sie nachgekommen, hat aber ihren Geliebten ins Verderben gestürzt. Dass sie sich schließlich dafür entscheidet, mit ihm gemeinsam zu sterben, obwohl ihr die Flucht vor den Schergen des Oberpriesters gelungen ist, spricht für die Tiefe und Ernsthaftigkeit ihrer Liebe zu Radames. Von tief empfundenen Emotionen sind auch ihre beiden großen Solo-Szenen am Ende des 1. Bildes und zu Beginn des 3. Aktes getragen, in denen sie den Zwiespalt und die Konflikte artikuliert, in die sie geworfen ist. Das Bewusstsein, dass allein der Tod sie aus dieser Lage zu befreien vermag, leitet ihr Handeln – insofern ist ihre Entscheidung, gemeinsam mit Radames zu sterben, nur konsequent.

des gesamten vielgliedrigen 1. Bildes – stehen zarteste Pianissimo-Klänge, unter denen Aida nach einem wahren Wechselbad der Gefühle die Bühne verlassen hat.

Große Tempelszene und erstes Finale »Possente Fthà« / »Nume, custode e vindice«: Mystik und Feierlichkeit

Das 2. Bild führt uns in das Innere des Vulkan-Tempels mit seiner geheimnisvollen Atmosphäre. Zum ersten Mal in seiner Oper setzt Verdi hier »exotische« Klänge ein, die an die Musik des alten Ägypten erinnern sollen, ohne dass er jedoch eine detaillierte Rekonstruktion im Sinn hatte. Harfenklänge evozieren eine mystische Stimmung, die Gesangslinie der hinter der Szene postierten Priesterin, der ein Frauenchor beigegeben ist, erhält durch ihr Kreisen im engen Tonraum (dem ersten Ton *es*[2] folgen jeweils ein Halbton darüber und darunter) ein eigentümlich fremdes, orientalisch anmutendes Gepräge:

Merklich anders im Charakter, weniger beweglich, dafür umso feierlicher gehalten, zeigt sich der ausschließlich aus Männerstimmen bestehende Priesterchor, in den sich auch Ramfis eingliedert. Mit seinen eindrucksvollen, dunkel getönten A-cappella-Klängen wird endgültig deutlich, dass man sich inmitten einer sakralen Szene befindet. Zweimal wiederholt sich der Wechsel zwischen Priesterinnen und Priestern, zwischen Frauen- und Männerstimmen, bevor am Ende dieses Abschnitts sich beide Gruppen für wenige Takte klanglich überlagern.

Die Priesterinnen beginnen einen Tanz – es ist die erste »Nummer« dieser Art in *Aida*, der noch mehrere folgen werden. In gemäßigtem Tempo, sanft in der Tongebung und wiederum unter Einbezug von »exotischen«, mit Ornamenten (etwa schnellen Vorschlägen und markanten Tongirlanden) angereicherten Melodiebildungen wird ein vielgestaltiger Reigen eröffnet. Die verschiedenen Timbres der Streicher wie der Bläser treten konturiert hervor, auch sind unterschiedliche rhythmische Werte und Figuren bestimmend: Die tänzerische Achtelbewegung des Beginns wird zuweilen in Triolen aufgelöst, auch basiert der musikalische Fluss vorübergehend auf ruhigen Vierteln.

Den Abschluss dieses Heiligen Tanzes der Priesterinnen bildet ein kurzer Choreinwurf mit der eingangs erklungenen Musik der Priesterinnen, bevor Ramfis anhebt. Mit der nötigen Bedeutungsschwere versehen übergibt er Radames das geweihte Kriegsschwert, wobei sich sein Gesang im Wesentlichen auf liegende, flächige Akkorde stützt. Auch dadurch tritt die rezitativisch gehaltene Gesangsstimme mit großer Prägnanz hervor, vor allem bei jener Stelle, wo er, rhythmisch geschärft, die Kraft der heiligen Waffe beschwört. Die Priester wiederholen gemeinschaftlich Ramfis' Formel, bevor ihr Oberhaupt nach wenigen Überleitungstakten mit einem Gebet von allergrößter Feierlichkeit und Würde beginnt (»Nume, custode e vindice« – »Gott, Beschützer und Rächer«). Dieser Grave-Abschnitt, der seinen tiefernsten Charakter in erster Linie durch die Posaunenklänge gewinnt, gehört zu den wohl eindrucksvollsten Partien der Oper, da hier eine geradezu überwältigende Stimmung eingefangen ist, der man sich kaum entziehen kann.

Steckbrief: Bote und Priesterin

Zwei namenlose Nebenfiguren begegnen uns in Verdis *Aida* – ein Bote und eine Priesterin. Beide haben sie lediglich kurze, aber durchaus wirkungsvolle Auftritte. So berichtet der Bote mit eindringlichen Worten vom Einfall der äthiopischen Truppen in Ägypten, von Brandschatzung und barbarischen Zerstörungstaten. Was an dieser Mitteilung nun wahr und was propagandistisch zugespitzt wurde, lässt sich nicht feststellen – entscheidend ist allein die Wirkung auf den Pharao und die Priesterschaft, die ohne Zögern dazu aufrufen, den Äthiopiern mit Waffengewalt entgegenzutreten.

Im Inneren des Vulkan-Tempels, dem Schauplatz des 2. Bildes des 1. Aktes, wird der Zuschauer Zeuge einer religiösen Zeremonie. Für die mystische Stimmung sorgt nicht zuletzt der Gesang der Priesterinnen mit einer Solistin an der Spitze. Bei der von Harfenklängen begleiteten Anrufung des Gottes Phtà ist ein exotisches Kolorit präsent, das symbolhaft für das alte Ägypten steht. Trägt die Gestalt der Priesterin auch nichts zum Fortgang der Geschichte bei, so bringt die Musik, die ihr zugedacht ist, doch eine wichtige dekorative Facette in Verdis Oper hinein.

Ramfis, Radames, der nach und nach einsetzende Priesterchor sowie das Orchester schwingen sich immer weiter auf, bis in Fortissimo-Bereiche von höchster klanglicher Intensität, während die Priesterinnen ihre Musik hinter der Szene mit in den Gesamtklang einbringen. Nicht ohne einen gewissen Überraschungseffekt geht die Dynamik jedoch nach einem vergleichsweise abrupten Decrescendo wieder ins Pianissimo zurück. Die mystische Atmosphäre des Szenenanfangs ist wieder erreicht, nur der Schluss – immerhin handelt es sich um das Finale des 1. Aktes – ist erneut in kräftigen Tönen gehalten: Die Anrufung des mächtigen Gottes Phtà durch Ramfis und Radames wird vom Chor (Frauen wie Männern gleichermaßen) aufgenommen – und auch das Orchester steuert noch einmal Klänge bei, die ebenso kräftig wie wirkungsvoll sind.

Introduktion »Chi mai fra gl'inni e i plausi«: Der Luxus der Herrschenden

Szenen- und Stimmungswechsel für den 2. Akt: In ihren königlichen Gemächern lässt sich Amneris von ihren Sklavinnen für die anstehende Siegesfeier schmücken. Exotisch geht es auch hier zu, sowohl im Blick auf das Ambiente als auch hinsichtlich der eingesetzten Klangfarben. Erneut spielt die Harfe eine zentrale Rolle – für Verdi offenbar ein geeignetes Instrument, um ein stimmungsvolles Umfeld zu erzeugen. Die Musik dieser Introduktion ist von großer Einheitlichkeit, jedoch keineswegs monochrom. Die beiden Frauenchorstimmen werfen sich wechselseitig die Bälle zu, nur an den Abschnittsenden fächert sich der Chorsatz einmal bis zur Dreistimmigkeit auf. Das ist das Signal für Amneris, die ihr Verlangen nach Radames, dem sie in Kürze den Siegeskranz überreichen wird, kaum verbergen kann. Zweimal gibt sie – gegenüber dem einleitenden g-Moll in aufgehelltem G-Dur – dem Wunsch Ausdruck, mit Radames vereinigt zu sein, beide Male animiert durch die einschmeichelnden Kantilenen ihrer Bediensteten, die sie nahezu bruchlos fortführt.

Ein leichtfüßiger, ebenfalls in g-Moll stehender Tanz der kleinen Sklaven beginnt, dynamisch zwar sehr zurückgenommen, jedoch mit pointierter Staccato-Artikulation. Bläser und Streicher sind abwechselnd, bisweilen aber auch gemeinsam an diesem eingeschalteten Ballett beteiligt. Abgerundet wird es durch die nochmalige Wiederholung des Gesanges der Sklavinnen und Amneris: Dieses Mal erscheint er jedoch in verdichteter Form, indem sich die Stimmen des Chores und der Solistin überblenden.

Szene und Duett »Fu la sorte dell'armi / Ben ti compiango!«: Schlagabtausch zwischen Rivalinnen

Nach dieser einleitenden, ohne größere Kontraste auskommenden Szene sieht Amneris einer Auseinandersetzung entgegen, der sie nicht aus dem Weg gehen kann, möchte sie ihre beherrschende Stellung und Autorität behalten. Aida soll vor ihr erscheinen: einerseits, weil sie als Angehörige der besiegten Äthiopier Trost benötigt, zum anderen, um ihr endlich das Geheimnis zu entlocken, welcher Natur denn nun ihr Verhältnis zu Radames sei. Diese Begegnung beginnt – ob nun ehrlich oder verstellt – in freundlichem Ton und im Ausdruck von Mitgefühl, mündet aber in offenem Ausbruch von Hass und Verachtung. Während der erste Moderato-Abschnitt weitgehend aus einer Art »Vorgeplänkel« besteht, der auch musikalisch nicht sonderlich konturiert erscheint, schärft sich der Konflikt in dem Moment, als Amneris Aida auf die Allmacht der Liebe hinweist, die noch mehr als die Zeit geschlagene Wunden zu heilen vermag. In belebtem Animato-Ton, mit dem »Aida-Motiv« als melodisches Rückgrat, werden in ihr jene Emotionen hervorgerufen, die Amneris zu entdecken wünscht (»Amore, amore, gaudio, tormento« – »Liebe, Liebe, Freude, Leiden«). Obwohl Aida hier nur a parte und lediglich mit halber Stimme singt, gewinnt die Pharaonentochter erhellende Einblicke in deren Gefühle für Radames. Endgültig klar wird ihr die Sache, als sie Aida – unter der Vorspiegelung der falschen Tatsache, dass der junge Feldherr im Kampf den Tod gefunden habe – zu einem bezeichnenden Gefühlsausbruch verleitet. In ruhigem, doch genau kalkuliertem Tonfall, der wiederum von den bereits hinreichend bekannten Triolenfiguren durchsetzt ist, provoziert Amneris die heftige Reaktion Aidas. In der Musik spiegelt sich diese Entwicklung durch ein beschleunigtes Tempo, rasche dynamische Wechsel, markante Synkopenbildungen sowie relativ kleingliedrige, flexibel eingesetzte und expressiv aufgeladene Figuren. Nach Momenten des gegenseitigen »Abtastens« prallen nun mit Vehemenz die Emotionen aufeinander – dass die beiden Frauen Rivalinnen sind und in einen ernsthaften Konflikt geraten sind, der zumindest kurzzeitig auf Augenhöhe ausgefochten wird, kommt durch eine immer weiter intensivierte Musik und ein immer weitergehendes »Hinaufschrauben« der Stimmen zum Ausdruck.

In dem Augenblick freilich, wo sich Aida bewusst wird, gegen ihre Herrin aufbegehrt zu haben, wandelt sich ihre Gefühlslage – und damit auch ihre Musik. In einem Adagio-Abschnitt von höchster Eindringlichkeit (»Ah, pietà ti prenda del mio dolor« – »Ach, empfinde Mitleid für meinen Schmerz«) bittet sie Amneris um Verzeihung und gleichzeitig um

Verständnis für ihren Trotz und ihr Widersprechen. In einem filigranen, klanglich sehr sensibel ausgestalteten Tonsatz – Flöten und Klarinetten unterstützen die Gesangslinie, während ein Fagott begleitende Bassfiguren ausführt – entfaltet sich eine Melodie von enormer Expressivität.

Eingeschmolzen in diese Passage sind wiederholte Äußerungen von Amneris, die ihrem Zorn und ihren Rachegelüsten Aida gegenüber freien Lauf lässt. Um sie zu demütigen, befiehlt Amneris ihr, bei der anstehenden Siegesfeier an ihrer Seite zu sein. Die Triumphszene kündigt sich durch die im 1. Akt in die Oper eingeführte Kriegsmusik an, vom Chor und der bläserdominierten Militärbanda hinter der Szene gesungen und gespielt. Mit machtvoller, fordernder Geste artikuliert Amneris ihren Befehl, während Aida nochmals – nunmehr in bewegtem Tempo – sie inständig um Erbarmen bittet. Ein letztes Mal wird eine Steigerung initiiert, an der neben den beiden Frauenstimmen auch der Chor (im Hintergrund) und das Orchester (teils hinter der Bühne, teils im Graben) beteiligt sind. Bis zum Fortissimo wird der Klang ausgefahren, bevor unvermittelt das andere Extrem zum Tragen kommt: Auf zartester klanglicher Folie, kaum einmal die Bassregionen berührend, nimmt die allein auf der Szene zurückgebliebene Aida das Cantabile »Numi, pietà« vom Ende des 1. Bildes wieder auf – die Handlung ist inzwischen zwar vorangeschritten, das emotionale Empfinden von Aida scheint jedoch wieder an demselben Punkt angelangt zu sein. Wieder einmal verlischt der Klang im Nichts, wieder einmal spürt Aida ihre Ohnmacht und den tiefen Zwiespalt, in dem sie sich befindet – nur vom Gebet verspricht sie sich noch Hilfe.

Das Gran Finale: Triumph und Trauer

Der Kontrast zum folgenden Bild könnte kaum größer sein. Die Szenendisposition ist eine komplett andere, Tonsatz und Klang sind ebenso konträr angelegt. Dem programmatisch »Gran Finale« genannten 4. Bild der Oper wurde stets eine besondere Aufmerksamkeit zuteil, da man hier eine essentielle Seite von *Aida* verkörpert sah: den Aspekt von Monumentalität, der in dieser großen Prunk- und Schauszene in der Tat sehr eindrucksvoll zur Erscheinung gelangt. Das Aufgebot an Kräften spricht schon für sich: Mit Ausnahme der beiden Nebenfiguren Bote und Priesterin sind sämtliche Solisten beteiligt, zudem stark besetzte Chöre (bestehend aus Priestern, Ministern, Soldaten, Gefangenen sowie aus einem nicht weiter spezifizierten »Volk«), schließlich kommen das große Orchester sowie eine klangkräftige, vornehmlich aus Bläsern rekrutierte Bühnenmusik zum Einsatz. Die nach den Vorstellungen Verdis inmitten der Szene platzierte Banda tritt dabei nicht selten mit dem Orchester in Dialog, wodurch räumliche Klangeffekte geschaffen werden, die dem angestrebten monumentalen Charakter in jedem Falle dienlich sind.

Das häufig etwas verkürzend »Triumphszene« genannte Finale ist ein immerhin fast halbstündiges, vielfach in sich gegliedertes Gebilde, das in weiten, aber keineswegs in allen Teilen den Zug ins Große besitzt. Die ersten Passagen weisen jedoch unmissverständlich in diese Richtung: Kriegssignale, von den dafür prädestinierten Blechbläsern intoniert, stehen am Beginn; aus ihnen entwickelt sich eine klanglich sehr präsente, in majestätischem Glanz und prächtigem Es-Dur erstrahlende Festmusik, die mit dem instrumental sehr wirkungsvoll vorbereiteten Einsatz des Chores ihren ersten Höhepunkt findet:

In einem klassischen vierstimmigen, rein akkordischen Chorsatz auf die Worte »Gloria all'Egitto, ad Iside che il sacro suol protegge!« – »Ruhm sei Ägypten und Isis, die unser Land verteidigt« wird jene festlich-grandiose Stimmung evoziert, die über weite Strecken das Gran Finale beherrscht. Nach der klanglich sehr präsenten Eingangssequenz wird der Chor in Frauen- und Männerstimmen aufgespalten: Zunächst ist der Frauenchor eingesetzt (hier dominieren spürbar weichere Klänge und gesangliche Melodiebögen), danach kommt der Männerchor in Gestalt der Priester zu Wort (an dieser Stelle ist das aus dem Preludio bekannte »Priester-Thema« gleichsam in Reinform zu hören, da es auch hier als Fugato erscheint). Eine kurze Passage, an der sämtliche Chorsänger beteiligt sind, rundet dieses erste Segment ab.

Im Anschluss folgt die wohl berühmteste Melodie aus *Aida*, der Triumphmarsch im eigentlichen Sinne. Drei ägyptische Trompeten in As (die sogenannten »Aida-Trompeten«) werden von der Militärbanda begleitet – die klangliche Wirkung ist hierbei ebenso groß wie der Schauwert dieser wohlbedacht eingesetzten Bühnenmusik.

Durch ein im Grunde sehr simples Mittel, eine plötzliche harmonische Rückung nach H-Dur, erreicht Verdi einen geradezu spektakulären Überraschungseffekt, der das klangliche Pendant zur szenischen Opulenz bildet. Und auch die Rückführung nach As-Dur ist prägnant genug verwirklicht. Nahtlos geht die Musik in einen Tanz (»Ballabile«) in c-Moll über, der auf einem spürbar bewegteren Tempo und einem größeren Anteil rasch zu spielender musikalischer Figuren basiert. Gewisse Analogien zu der Ballettszene im vorigen Bild – dem Tanz der Sklavinnen vor Amneris – sind unverkennbar, auch wenn der Tonsatz hier um einiges massiver erscheint und ein größerer Reichtum an Klangfarben (ermöglicht durch den Einsatz des großen Orchesters) einkomponiert ist.

Am Schluss dieses ersten Großabschnitts des Finales steht abermals ein Chortableau. Das festlich-grandiose Es-Dur des Beginns wird wieder aufgenommen, dem blockhaft gesetzten Chor des Volkes ist aber nunmehr der Chor der Priester beigegeben, die sowohl textlich (mit dem Dank an die Götter) als auch musikalisch (mit zusätzlichen Einwürfen der Stimmen) eine zweite Ebene eröffnen. Nach einer Generalpause, bis zu der der Klang bereits mächtig angewachsen ist, entlädt sich die gesamte Energie: Con tutta forza – mit aller Kraft haben sich Chor, Banda und Orchester einzubringen, damit die von Verdi intendierte überwältigende Wirkung auch tatsächlich zustande kommt.

Bis zu diesem Punkt ist noch kein einziger Solist im Gran Finale zu Wort gekommen. Es ist die Sache des Königs, es als Erster zu tun. In ernster Feierlichkeit, grundiert von einem dazu passenden akkordischen Klangteppich, der zunächst von den Blechbläsern der Banda produziert und dann von den Streichern weitergeknüpft wird, dankt er hochoffiziell Radames (»Vieni, e mia figlia di sua mani« – »Komm, aus den Händen meiner Tochter«), dem Amneris als äußeres Zeichen dieses Dankes die Siegeskrone überreicht. Dass in diesem Moment ihr Motiv sehr zurückhaltend im Orchester erklingt, obwohl sie selbst stumm bleibt, deutet auf ihre persönliche Verflechtung mit dem Schicksal des Heerführers hin: Keinesfalls ist sie hier nur die Repräsentantin des Staates.

Spätestens hier hat sich die Musik vom eingangs vorherrschenden »Triumphton« deutlich entfernt. Sogar in den Gestus eines Trauermarsches verfällt sie, als auf Radames' Bitte die äthiopischen Gefangenen vorgeführt werden. Nicht diese sind es jedoch, die für den spürbaren Wechsel der Atmosphäre verantwortlich sind, sondern die ägyptischen Priester, die unter Zuhilfenahme ihres Themas und den Einsatz dunkler Orchesterfarben Trauer- und Klagestimmung evozieren (»Grazie agli Dei« – »Dank sei den Göttern«).

Eine individuell-persönliche Ebene kommt in dem Augenblick ins Spiel, als Aida ihren Vater inmitten des Gefangenenzuges erkennt. Ihr Erstaunen, bei dem sich Freude und Befürchtung mischen, ist das Vehikel,

Steckbrief: Der König

In Verdis Partitur heißt er einfach nur »Il Re«, ohne eine weitere Angabe. Gemeint ist kein anderer als der Pharao selbst, der eigentliche Alleinherrscher in Ägypten. Dennoch hält er die Macht nur bedingt in seinen Händen, hat er es doch mit einer sehr einflussreichen Priesterschaft zu tun, die bei allem, was die Geschicke des Staates betrifft, entscheidend mitzureden hat. In ihm jedoch nur eine Marionette der geistlichen Würdenträger zu sehen, greift gewiss zu kurz. Immerhin ist der König der Erste, der nach dem Bericht des Boten im 1. Bild zum Krieg gegen die Äthiopier aufruft – wenn auch Ramfis und die Priester nur allzu bereitwillig in diesen Ruf einstimmen. Und auch den Namen des Feldherrn, der den Heerzug anführen soll, verkündet er. Deutlich wird aber zugleich, dass er es nicht selbst war, der diese Entscheidung getroffen hat, sondern die Göttin Isis, wodurch einmal mehr die enge Verflechtung von religiösen und staatspolitischen Angelegenheiten bezeugt wird.

Auch auf persönlicher Ebene ist der König involviert. Auch wenn er wohl keine Einblicke in die sich entwickelnde Dreiecksgeschichte zwischen Aida, Radames und Amneris hat, schürt er doch den Konflikt, als er dem siegreich heimkehrenden Anführer die Hand seiner Tochter anbietet. Auf offener Szene, vor der ägyptischen Öffentlichkeit und allem Volk kann Radames schwerlich widersprechen, auch wenn er es wohl gerne täte.

Die gesamte Triumphszene am Schluss des 2. Aktes ist auf den feierlichen, offiziellen, bedeutungsschweren Ton hin ausgerichtet – auf die Welt des Pharao. Im Bewusstsein, Radames Dank zu schulden, verspricht er ihm die Erfüllung eines Wunsches. Immerhin kommt er diesem Versprechen nach, wenn er Radames' Wunsch entspricht, den äthiopischen Gefangenen die Freiheit zu geben. Hier beweist er Unabhängigkeit gegenüber den von Ramfis angeführten Priestern, die vehement den Tod der Besiegten fordern. Durch die gewährte Gnade hofft er auch in Zukunft auf den Beistand der Götter, der unverzichtbar ist, um die Macht der Herrscher dauerhaft zu erhalten.

mit dem die Figur des Amonasro in die Handlung eingeführt wird. Vom König aufgefordert zu sagen, wer er sei, enthüllt er nur einen Teil seiner Identität: Er leugnet nicht, Aidas Vater zu sein, gibt andererseits aber auch kund, dass Amonasro in der Schlacht den Tod gefunden habe, während er als einfacher Krieger tapfer für sein Heimatland in den Kampf gezogen sei. Dieser Bericht ist weitgehend rezitativisch gehalten, auf der Basis einfacher, vergleichsweise konventioneller Begleitfiguren im Orchester, mündet dann aber in eine F-Dur-Kantilene (»Ma tu, Re, tu signore possente« – »Doch du, König, hast die Macht«) von großer Eindringlichkeit:

Sein Bitten um Gnade für seine gefangenen Landsleute, in eher sanftem, bewusst nicht forderndem Ton vorgetragen, findet ein Echo bei Aida, dem Chor der Sklavinnen sowie der Äthiopier. Antipodisch formieren sich indes die Priester mit Ramfis an der Spitze, die sehr bestimmt die Bestrafung der Kriegsgegner mit nichts anderem als dem Tod verlangen. Das Ensemble faltet sich immer weiter auf: Sämtliche Solisten sowie der Chor sind daran beteiligt. Ein Moment des Handlungsstillstands begegnet uns hier, der jedoch über das Denken und Fühlen aller Aufschluss gibt. Mehrere sind auszumachen: Aida, Amonasro sowie die Gefangenen flehen den König an, dieser wiederum (und zudem das ägyptische Volk) scheint ihrem Bitten nicht abgeneigt zu sein, während die Priester (einschließlich Ramfis') auf ihrem unversöhnlichen Standpunkt beharren. Radames hat in stärkerem Maße Aida im Blick als das »große« Geschehen um ihn herum – ebenso wie Amneris, die ihr Augenmerk auf Radames und dessen offenkundige Sympathie für Aida richtet. Die musikalische Ausgestaltung dieses Ensembles lässt einmal mehr Verdis Meisterschaft bezüglich einer stimmigen Dramaturgie von Spannung und Entspannung, von klanglichen Aufschwüngen und Innehalten (bzw. Zurücknahmen) deutlich hervortreten. Dynamische Intensivierungen werden nur bis zu einem bestimmten Punkt geführt, dann muss wieder neu angesetzt werden, damit der lebendige Atem auch über größere Abschnitte hinweg nicht verloren geht. Mehrfach lässt Verdi das Ensemble deshalb nach Fortissimo-Stauungen abbrechen (z. T. mit einigen wenigen Überleitungstakten), damit es im Piano die Basis für neue Entfaltungen gewinnen kann. Auf einen wirkungsvollen Abschluss mit Spitzentönen – die Sängerin der Aida hat beispielsweise kurz vor dem Ende noch einmal ein hohes *c* auszuführen – und einer nochmaligen klanglichen Forcierung verzichtet Verdi indes nicht: Hier zeigt sich der erfahrene Opernpraktiker, der um pointiert gesetzte musikalische Effekte weiß und sein Handwerk versteht.

Eine kurze rezitativische Episode leitet in die abschließende Sequenz des Gran Finale über. Radames, dem vom Pharao die Erfüllung eines Wunsches versprochen worden war, bittet um die Freilassung der äthiopischen Gefangenen (»Re: per sacri Numi« – »Herr, bei den heiligen Göttern«); Ramfis kann immerhin noch erwirken, dass Aida und Amonasro als Friedenspfand in Ägypten bleiben. Der König bietet Radames die Hand seiner Tochter, Amneris genießt für sich ihren vermeintlichen Triumph über ihre Konkurrentin Aida.

Der Schluss ist größtenteils reine Repräsentationsmusik. Noch einmal erklingen die hymnenhaften Chorsätze des Finalbeginns, nunmehr unterstützt durch die Solisten sowie die zuvor noch nicht auf der Szene anwesenden Äthiopier. Für die Protagonisten bietet dieses letzte Ensemble eine weitere Gelegenheit zum Ausdruck ihrer subjektiven Befindlichkeiten: Ob Trauer und Unsicherheit (Aida), Stolz und Selbstzufriedenheit (Amneris), Verlangen nach Liebe und Ruhm (Radames) oder Rache (Amonasro) vorherrschen – auch hier sind die Charaktere von Affekten ergriffen, die durch die ihnen zugedachten musikalischen Linien beredten Ausdruck finden. Und all das ist eingebettet in eine nicht anders als »monumental« zu bezeichnenden Musik, die alle Kräfte zu einem Klang von grandioser äußerer Wirkung zusammenbindet. In nicht mehr zu überbietender Steigerung wird das Gran Finale zu seinem Ende geführt, gekrönt durch den nochmaligen Einsatz der »Aida-Trompeten« mit dem Motiv des Triumphmarsches, der oft genug Pars pro Toto als Signum des gesamten Werkes angesehen wurde.

Introduktion »O tu che sei d'Osiride« und Aidas Romanze »O patria mia, mai più ti rivedrò!«: Sehnsuchtsszenarien

Der aus nur einem Bild bestehende 3. Akt der Oper – der sogenannte »Nil-Akt« – ist gewiss der musikalisch subtilste und stimmungsvollste. Er enthält nicht nur die zweite Solo-Szene Aidas, sondern auch zwei gewichtige Duette, in denen sich die Titelheldin mit ihrem Vater und ihrem Geliebten auseinanderzusetzen hat. Ein weiteres Mal durchlebt sie vielgestaltige, durchaus konträre Emotionen, die sowohl sprachlichen als auch musikalischen Ausdruck gewinnen.

Steckbrief: Amonasro

Als König ist er ein Machtmensch, der keineswegs davor zurückschreckt, andere für sich zu instrumentalisieren. Auch vor den Gefühlen seiner Tochter Aida, der er eigentlich in väterlicher Zuneigung verbunden ist, macht sein Kalkül nicht halt. In der Auseinandersetzung mit den Ägyptern, die aus seiner Sicht offensichtlich so etwas wie einen natürlichen Feind der Äthiopier darstellen, scheint ihm jedes Mittel recht zu sein – Verstellung, Verrat, aggressives Drohen, auch Anwendung von Gewalt. Skrupel dürfte er weder im Umgang mit seinen Landsleuten noch mit seinen Gegnern kennen, auch wenn er sich zuweilen arglos gibt und hinter Masken versteckt.

Verdis Oper sieht für Amonasro nur wenige Auftritte vor, diese allerdings sind von entscheidender Bedeutung und großer Prägnanz. Insbesondere Aida, die einzige Protagonistin, die von Amonasros Identität von Anfang an weiß, wird wesentlich von ihm beeinflusst. Als Vater – und König zugleich – kann er sie sich gefügig machen, kann darauf bauen, dass sie ihn in seinem Sinne unterstützt. Dieses Abhängigkeitsverhältnis nutzt Amonasro weidlich aus, wenn er Aida dazu zwingt, Radames das Geheimnis der ägyptischen Militärstrategie zu entlocken, das ihm zwar nützt, Aida aber zur Mittäterin an einem Vorgang werden lässt, der den Feldherrn unweigerlich ins Verderben führt.

Auf das Wohl seiner Tochter kann Amonasro jedoch nur sehr bedingt Rücksicht nehmen, geht es ihm doch zuvorderst um seine eigenen Ziele. Nach dem verlorenen Feldzug sich für die erlittene Niederlage zu rächen, ist ihm Ziel und Motivation. Verdi beschreibt ihn als einen dunkelhäutigen, kriegerischen, unbeugsamen Mann von etwa 40 Jahren. Sein durchaus ehrlicher Patriotismus schlägt indes in blanken Hass gegen die Ägypter um, da er nicht davon ablassen will, ihr Land mit Krieg zu überziehen. Im großen Dialog mit Aida im 3. Akt zieht er in der Beschwörung der heimatlichen Schönheiten sehr geschickt die patriotische Karte. Und auch die Ägypter weiß er psychologisch zu beeinflussen, wenn er in der Triumphszene des 2. Akts im Gewand eines einfachen äthiopischen Kriegers den Pharao um Gnade bittet. Hier wie dort zeigen sich lyrische, geradezu einschmeichelnde Töne, unter deren Oberfläche aber böse List und martialische Attacke lauern. Von seinem gewaltsamen Ende, das ihn auf der Flucht ereilt, erfährt man im 4. Akt nur beiläufig – zu diesem Zeitpunkt ist die Handlung schon ganz auf das Schicksal der drei Hauptfiguren fixiert.

Gegenüber dem Übermaß an klanglichem Aufwand, der in der Szene zuvor betrieben wurde, besitzt die Introduktion ein geradezu kammermusikalisches Gepräge. Auf raffiniert gebildeten weiträumigen Klangflächen der Violinen entfaltet sich eine Flötenmelodie von eigentümlich exotischem Reiz. Hervorgerufen wird er zum einen durch die zunächst terzlos bleibende Tonfolge, deren Tongeschlecht dadurch nicht fixiert ist, zum anderen durch die angebrachten Ornamente (zu denen Vorschläge und Triller ebenso gehören wie das Unterbringen vieler kleiner Notenwerte innerhalb einer Schlagzeit), die auf orientalisches Melos verweisen. Für den feierlichen Charakter dieser Eingangsszene sorgen erneut die Chöre der Priester und Priesterinnen, die in ähnlicher Form bereits im 2. Bild des 1. Aktes erklungen waren. Diese Musik soll so vernehmbar sein, als ob sie aus dem Inneren des Tempels komme. Dynamisch ist hier nichts unnötig forciert, es herrschen im Gegenteil die ruhigen und leisen Töne vor. Auch als Ramfis und Amneris, die sich gemeinsam zum Gebet in den Tempel begeben, auftreten, verbleibt die Musik in einer für *Aida* eher seltenen friedvollen Entspanntheit.

Diese Szenerie wird nun zum Entree für die zweite Solo-Szene, die Verdi seiner Haupt- und Titelfigur zugedacht hat. Der Tonsatz ist weiterhin auffallend geringstimmig und locker gefügt, ebenso bleibt der Flötenklang als bestimmendes atmosphärisches Moment erhalten. Die Flöte in tiefer Lage ist es nämlich, die das »Aida-Motiv« zu spielen hat, lediglich begleitet von den Bratschen. Wie bereits bei ihrem ersten solistischen Auftritt geht auch hier die Entwicklung vom Rezitativischen zum Ariosen. Das Orchester ist hier gewissermaßen der »Vorreiter«, da zunächst nur instrumental kantable Gestalten eingebracht werden: Eine einprägsame, schwebende Oboenmelodie ist es, die in kreisender Bewegung basierend auf den Klängen anderer Holzbläser die besondere Stimmung der Nacht vergegenwärtigt.

In diesem Andante mosso verbleibt Aidas von innerer Unruhe erfüllter Gesang (»O patria mia, mai più ti rivedrò!« – »O Vaterland, niemals werde ich dich wiedersehen!«) zunächst noch im melodisch Unkonturierten – und auch der folgende Abschnitt ist eher von einer punktgenauen Deklamation als einem kantablen Duktus geprägt. Mehr und mehr jedoch wandeln sich die Linien in wirkliche Kantilenen von großer musikalischer Schönheit. Ein in repetierten Tönen abfallender Quartengang, aber auch eine aufsteigende Tonfolge mit abwärtsfallender Oktave, dient dem Ausdruck der Klage um ihre Heimat, die sie aller Wahrscheinlichkeit nach nie mehr wiedersehen wird:

Den Höhepunkt der expressiven Entfaltung bildet eine Linie, die zielgerichtet auf das hohe *c* hinführt, das trotz der Vorschrift »dolce« bei optimaler Ausführung eine unvergleichliche Leuchtkraft zu entwickeln vermag. Aidas Gedanken kommen zur Ruhe, die Musik ebenfalls, nicht ohne vor dem Ausklingen dieser Szene noch einmal wesentliche Elemente wie die besagte Oboenmelodie zur Erscheinung zu bringen.

Das Duett »A te grave cagion m'adduce, Aida«: Vater und Tochter

Unbeobachtet ist Amonasro hinzugetreten, das Gespräch mit seiner Tochter suchend. Entsprechend den formalen Konventionen der italienischen Oper beginnt auch dieses Duett im rezitativischen Gestus, jedoch ohne die in anderen derartigen Szenen üblichen vorsichtigen Annäherungen. Amonasro, zweifellos eine autoritäre Vatergestalt, begibt sich vom ersten Moment an in eine Position, die Diskussion oder gar Widerspruch von der anderen Seite nicht duldet. Dominant ist sein Auftreten, bestimmend seine Worte, werden sie auch zuweilen in das Gewand von Schmeichelei und blühenden Zukunftsphantasien gekleidet. Deutlich wird dies etwa in jenem Abschnitt, wo er im sanften Ton die Schönheiten der äthiopischen Heimat besingt, die Aida ja nur zu gut kennt und die Amonasro so suggestiv vergegenwärtigt, dass unversehens ihre Sehnsucht geweckt wird.

Geschickt stellt er nun die Ägypter als Diejenigen dar, die Unheil über ihr Volk bringen, und malt plastisch die Schrecken aus, die durch die von ihnen ausgehenden kriegerischen Aktionen zu erwarten sind – Aida solle nie vergessen, zu welchen Taten die Ägypter fähig sind. Sie reagiert mit wachsender Leidenschaft, was sich auch ganz wesentlich über die Musik vermittelt, etwa durch die sich hinsichtlich ihrer Länge und Intensität vergrößernden Melodiebögen.

Solange sie passiv bleiben kann und lediglich den Worten Amonasros zustimmend zu folgen hat, ist das Einverständnis gegeben. Als Amonasro jedoch fordert, von Radames den Weg der Truppen in Erfahrung bringen, mithin ihren Geliebten zum Hochverrat anzustiften, weigert sie sich. Das Drängen des Vaters wird immer energischer, unterstützt durch ein sich immer mehr belebendes Tempo, vor allem aber durch einen Klangausbruch des großen Orchesters, der unverstellt von kriegerischem Geist geprägt ist (»Su, dunque! Sorgete egizie cohorti!« – »Nun denn, erhebt euch, ägyptische Horden!«).

Massiv stürmen Drohungen auf Aida ein – wenn sie nicht handele, sei sie Schuld am Untergang ihres Volkes. Eine ungeheure Spannung liegt über der Szene, ob nun in den ungestümen, ausfahrenden Tönen oder in den leisen, gespenstischen, die ebenso Amonasros psychologischer Kriegsführung dienen. Mit ihnen wird die Erscheinung der toten Mutter beschworen, nachdem schon zuvor – und auch danach – Amonasro seinen Willen herausgeschleudert hat, Aida zu verstoßen. Ein weiteres Mal, wiederum in einer bis zum Bersten angespannten und durch einen kraftvoll gesteigerten Orchesterklang entsprechend intensivierten Situation, sieht sie keinen Ausweg mehr, als um Erbarmen zu flehen. Weder Amneris noch Amonasro gegenüber befindet sie sich in einer Position der Stärkeren – der Druck, der auf sie ausgeübt wird, ist einfach übermächtig.

Aidas Bitten gehören zweifellos zu den eindringlichsten Passagen der Partitur. Im 3. Akt gewinnt es die Gestalt eines mit halb erstickter Stimme artikulierten Stammelns, das über repetierte Töne der Violinen gesetzt und dem als Kontrapunkt eine expressive Melodie des Fagotts beigegeben ist (»Padre! ... a costoro schiava non sono« – »Vater ... deren Sklavin bin ich nicht«).

Aus diesem Stammeln heraus entwickelt sich jedoch unerwartet eine blühende Kantilene, die von Amonasro aufgegriffen und ins Grandiose, immer weiter Raumgreifende geweitet wird (indem er zielgerichtet auf den Spitzenton *ges*^{1} verbunden mit einer dynamischen Steigerung zusteuerte), worauf Aida kaum anders kann, als seinem Verlangen nachzugeben, Radames das streng gehütete Geheimnis zu entlocken. Die gesamte letzte Episode des Duetts zwischen Vater und Tochter, eine meisterhaft von Verdi musikalisch in Szene gesetzte Konfrontation, wird mit dem musikalischen Material bestritten, mit dem Aidas Bitte angehoben hatte – was abermals ein Zeichen dafür ist, mit welch wenigen und nicht unbedingt spektakulären Mitteln es dem Komponisten gelang, ein Höchstmaß an Ausdruckskraft zu erzielen und dabei die wirkenden expressiven Elemente nicht statisch, sondern dynamisch erscheinen zu lassen.

Duett »Pur ti riveggo mia dolce Aida«: Geliebter und Geliebte

Vergleichsweise konventionell wirkt das zweite Duett des Nil-Aktes. Radames stürmt heran, Aida ist erneut zunächst die Passive. Mehrfach verwendet er ein Motiv, das klar und bestimmend wirken soll (und auch so ansetzt), diese Wirkung durch die etwas zu rasche Gangart und die merkliche Zerfaserung mittels der eingebrachten Triolen und der vergleichsweise tiefen Lage am Ende aber nicht erreichen kann:

Aida zweifelt denn auch an den Absichten Radames', die Hand von Amneris zurückzuweisen und trotz aller zu erwartenden Widrigkeiten ein Leben mit ihr zu wagen. Doch wird er erneut in den Kampf ziehen und Gefahren für Leib und Leben auf sich nehmen, dann aber wird einer Vereinigung mit ihr nichts mehr im Wege stehen. Radames singt dies vor dem Hintergrund einer etwas martialisch anmutenden, mit markanten Trompetenklängen operierenden Musik, beendet seine Äußerung jedoch mit dem schon eingangs der Szene eingeführten Motiv, dem keine sonderliche Überzeugungskraft innewohnt. Aida warnt vor Amneris' Rache, wobei ein Motiv erklingt, das bereits im Terzett des 1. Aktes, als ihre Eifersucht erstmals hervorbrach, eine Rolle spielte. Die gemeinsame Flucht scheint der Ausweg zu sein, auch wenn Radames dann auf Feldherrenruhm und -ehre verzichten muss. Aida ermutigt ihn, nach Äthiopien zu ziehen, damit sie beide dort ein neues Vaterland finden. Untermalt wird diese eindringliche Passage durch eine Oboenmelodie, die jener von Aidas Solo-Szene, in der die Sehnsucht nach der verlorenen Heimat zur Sprache kommt, spürbar nachempfunden ist (»Là ... tra foreste vergini« – »Dort, in den jungfräulichen Wäldern«).

Yanyo Guo als Amneris und Yamina Maamar als Aida in der Darmstädter Inszenierung von Michael Heinicke 2009.

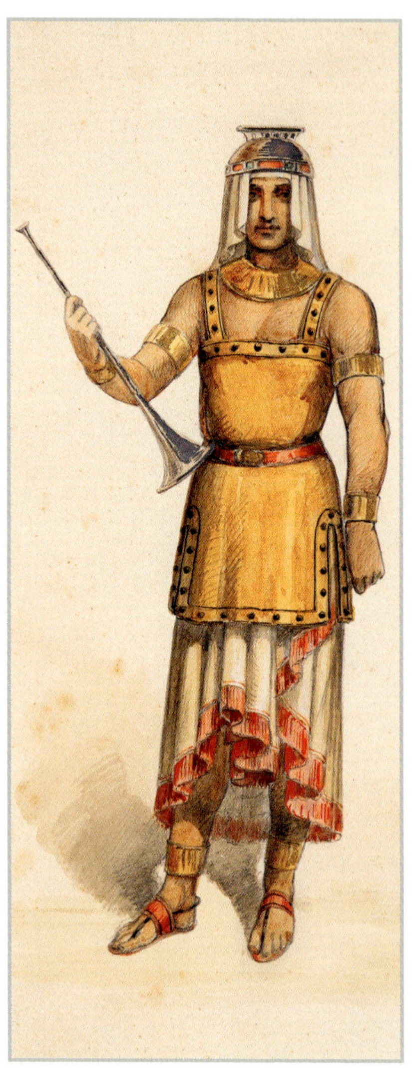

Zwei der von Auguste Mariette geschaffenen Kostümentwürfe zu »Aida«, Aquarelle von 1871. Links der Entwurf für Radames, rechts für einen Trompetenspieler.

Oben: Bühnenbild der Uraufführung am 24. Dezember 1871 im Opernhaus Kairo; Federzeichnung von Philippe Chaperon, 1871. ▪ Unten: Tendenz zur Abstraktion: Die »Aida«-Inszenierung von Christof Nel an der Bayerischen Staatsoper München 2009.

Oben: Der Triumphmarsch in der vieldiskutierten Inszenierung von Hans Neuenfels an der Oper Frankfurt 1981. ▪ Unten: Eine radikale Lesart – die Grazer Inszenierung von Peter Konwitschny aus dem Jahre 1994.

Oben: Latonia Moore als Aida in einer Inszenierung von Guy Joosten an der Hamburgischen Staatsoper 2010. ▪ Unten: Ein Stück »Regietheater«: Dietrich Hilsdorfs Essener »Aida«-Produktion von 1989.

René Pape als Ramphis in der Inszenierung von Pet Halmen an der Berliner Staatsoper Unter den Linden 1995.

Oben: »Aida« als grandioses Spektakel in der Arena di Verona 2003. ▪ Unten: Arbeit mit überdimensionalen Bruchstücken: Paul Browns Bodensee-Bühnenbild für die Bregenzer Festspiele 2009 (Regie: Graham Vick).

Hui He (Aida), Jivita Vaskeviciute (Amneris) und Scott Mac Allister (Radames) in der Kölner »Aida« von 2011.

Mit äußerster Sanftheit (und mit der für sie typischen Basslosigkeit in der Begleitung) setzt sie daraufhin mit einer Kantilene an, in der ihr Wunsch nach Frieden und Seligkeit zum Ausdruck kommt. Radames geht auf sie ein, lässt sich gleichsam von ihr »anstecken«, indem er sich ähnlicher Melodiebildungen bedient und in den Bann des von Aida ausgehenden, sprachlichen wie musikalischen Zaubers gerät.

War dies – rein formal gesehen – die lyrische Cavatina des Duetts, so folgt nach einer kurzen rezitativischen Episode die kraftvoll beschleunigte Cabaletta (»Si: fuggiam da queste mura« – »Ja, lass aus diesem Land uns fliehen«). Auf das nochmalige Drängen Aidas ist Radames zur Flucht entschlossen: Mit leidenschaftlichem Ton macht er diese Entscheidung Aida gegenüber deutlich; diese stimmt in seinen Gesang ein. Schließlich vereinigen sich beide Stimmen zum ersten Mal in der Oper und meistern gemeinsam ihre lang auszuhaltenden Spitzentöne.

Szene und Finale »Pur ti riveggo mia dolce Aida« / »Tu ... Amonasro!« / »Traditor!«: Abrupte Wendungen

Das Finale des 3. Aktes ist nicht gerade übersichtlich. Plötzlich hinzutretende Personen sorgen für unvermittelte Wendungen des Geschehens; die Ereignisse überstürzen sich geradezu. Ausgangspunkt ist die eher nebenbei angebrachte Frage Aidas an Radames, wo denn die ägyptischen Truppen stehen, damit man an ihnen vorbei den Weg nach Äthiopien gefahrlos nehmen könne. Radames sagt es ihr ebenso beiläufig, der sich verborgen gehaltene Amonasro wiederholt den genannten Ort, immerhin ein wichtiges Militärgeheimnis. Da rasche Wortwechsel hier bestimmend sind, verzichtet Verdi auf eine allzu opulente Orchesterbegleitung und setzt lediglich einige wenige Stützakkorde. Erst als Radames erfahren hat, dass Aidas Vater der König der Äthiopier – und damit sein direkter Kontrahent – ist, erklingen im Orchester wieder Figuren, die deutlich mehr Prägnanz und Beredsamkeit besitzen: Da Radames um die Strafe weiß, die einem Verräter blüht, ergreifen ihn Erschrecken und Angst. Aida und Amonasro sind nicht in der Lage, Radames zur nunmehr unabdingbaren Flucht zu bewegen, sie vermögen ihn nicht einmal zu beruhigen.

Verschärft wird die Lage durch das Auftreten von Amneris, die mit nur einem Wort – »Traditor!« – »Verräter« – die Situation erfasst hat, von Amonasro angegriffen und von Radames beschützt wird. In rasendem Prestissimo und nochmals gesteigerter Klangstärke vollziehen sich die Flucht von Aida und Amonasro, Ramfis' Ruf nach den Wachen sowie die Festnahme von Radames, der sich mit großer Geste stellt und freiwillig in die Hand des Oberpriesters begibt. Im ernsten d-Moll schließt dieser außergewöhnliche Opernakt, der sicher zu den musikalisch reichhaltigsten in Verdis gesamtem Œuvre zählt.

Szene »L'aborrita rivale a me sfuggia« und Duett »Già i sacerdoti adunansi«: Ein letzter Versuch

Gehörte der 3. Akt zu großen Teilen Aida, so stellt der 4. Akt Amneris in den Mittelpunkt. Überwiegend spielt er in ihrem Reich, im Königspalast von Memphis. Erfüllt ist sie von Zorn, Unruhe und Traurigkeit, die abwechselnd Oberhand gewinnen. Als bestimmend zeigt sich zunächst ein Motiv, das bereits wiederholt (etwa im Terzett des 1. Bildes) auftauchte und vor allem Amneris' nagende Eifersucht musikalisch darstellt:

Neben diesem Aspekt spielt aber mutmaßlich noch mehr mit hinein: eine generelle Unsicherheit, wie sie sich zu verhalten habe. Als Tochter des Pharao hat sie mit Würde aufzutreten, den Priestern hat sie Respekt entgegenzubringen, zudem muss sie sich in irgendeiner Weise zu Radames und Aida verhalten. Am Beginn ihrer Szene reflektiert sie genau dies: Einerseits kränkt es sie, dass ihre verhasste Rivalin offenbar lebend entkommen ist, andererseits fühlt sie Mitleid mit Radames, von dem sie nicht glaubt, dass er ein Verräter ist. Ein durch Orchestereinwürfe durchbrochenes Rezitativ verdeutlicht musikalisch ihre Gefühlszustände. Von ariosem Zuschnitt ist hingegen der Ausdruck ihrer immer noch existenten Liebe zu Radames: Auf der Basis des seit ihrem ersten Auftritt bekannten »Amneris-Motives«, das hier den Streichern im Pianissimo anvertraut ist, vermischen sich Wunschträume und reale Hoffnungen. Den Versuch, ihn vor dem sicheren Tod zu retten, will sie in jedem Falle wagen.

Zunächst übernimmt sie auch die Initiative im folgenden Duett. Im dunklen es-Moll und gemessenem Tempo führt sie Radames das ihm drohende Schicksal vor Augen. Die Klänge der Bassklarinette und der zuweilen subtil eingesetzten, schmetternden Trompete sorgen für eine Atmosphäre tiefer Ernsthaftigkeit. Radames greift diese Musik, wenngleich in anderer Tonart (fis-Moll) auf, singt gleichsam eine zweite Strophe. Der insgesamt ruhige Ton verändert sich, als Amneris ihm Rettung in Aussicht stellt; Radames aber wünscht, hoffnungslos wie er ist, nur noch den Tod:

In einem Abschnitt von merklich bewegterem Tempo und spürbar belebtem Gestus bietet ihm Amneris, nunmehr vollkommen offen, Schutz vor der sicheren Bestrafung an, wenn Radames nur bereit wäre, sich zu ihr zu bekennen – sogar ihrem Land und ihrer Krone würde sie entsagen, wenn Radames mit ihr käme. Indem er sich wiederum Amneris' Musik bedient, weist Radames diese Offerte zurück: Er selbst habe um der Liebe willen seine Heimat verraten und seine Ehre verloren, Sterben sei deshalb der einzige Ausweg. In einem Akt des Aufruhrs beschuldigt er Amneris, ihn von Aida getrennt zu haben und für ihren Tod verantwortlich zu sein – dabei verwendet Radames die von Amneris eingangs des Duetts eingeführte es-Moll-Melodie (mit der sie ihm sein Schicksal drohend vor Augen stellte), die sich dieses Mal jedoch nicht beruhigend schließt, sondern in einigen wenigen rezitativischen Takten mündet, in denen Amneris mit der ihr eigenen Heftigkeit auf die Vorwürfe reagiert. Wahrheitsgemäß teilt sie – und das in einem Abschnitt von intensivierter Bewegung – Radames mit, dass Aida noch lebe; dieser drückt in weichen dolce-Tönen seine Erleichterung darüber aus.

Von diesem Punkt ausgehend befindet sich das Duett nunmehr in einem Prozess fast permanenter Steigerung: Mit einem dramatisch zugespitzten Rezitativ, in dem Amneris ein letztes Mal versucht, Radames umzustimmen, beginnt es, worauf sich ein erregtes, scharf akzentuiertes Agitato anschließt. Es führt Amneris in einem Moment höchster emotionaler Spannung bis zum hohen *b*, dem Spitzenton ihrer Partie, hinauf – das ganze Elend ihres Seelenlebens kommt hier zum Vorschein. Radames ist jedoch entschlossen, mit Würde sich dem Gericht zu stellen und in den Tod zu gehen. In dramatisch aufgeheizter Atmosphäre, die wesentlich durch rasende, synkopisch versetzte Fortissimoklänge des großen

Orchesters erzeugt wird, verlässt Radames die Szene. Vier markant gesetzte, durch Generalpausen voneinander abgetrennte Akkorde bilden sowohl den Abschluss dieser wahren »tour de force« als auch den Übergang zur folgenden Gerichtsszene.

Gerichtsszene Amneris, Ramfis, Chor (Priester) »Ohimè! ... morir mi sento« / »Spirto del Nume«: Schweigen und Gefühlsausbrüche

Sowohl hier als auch im letzten Finale arbeitet Verdi mit zwei verschiedenen Raum- und Klangebenen. Amneris, die auf der Bühne verblieben ist, agiert im Vordergrund, während sich im unterirdischen Gewölbe die Verhandlung und Verurteilung von Radames durch Ramfis und die Priesterschaft abspielt. Das zunächst den Kontrabässen überantwortete »Priester-Thema« gibt die düstere Stimmung vor, die über die gesamte Szene herrscht. Auch wenn nach und nach andere Instrumente zum Einsatz gelangen und höhere Tonlagen erschließen, so bleibt die Musik doch stets auffallend dunkel timbriert.

Amneris fühlt tiefe Schuld, Radames an die Priester, deren Strenge und Unversöhnlichkeit sie nur zu gut kennt, ausgeliefert zu haben. Ihr Gesang besteht nur mehr aus melodisch unkonturierten, fragmenthaften Äußerungen, während im instrumentalen Tonsatz die ruhig fließende Bewegung der Priestermusik verankert ist.

Das Gericht hat sich hinter der Szene versammelt: Ramfis und die Priester rufen den Geist der Gottheit an, Recht zu sprechen (»Spirto del Nume«). Vollkommen unbegleitet, mit einigen formelhaften Melismen versehen, wird eine beängstigende Drohkulisse für das Verfahren aufgebaut. Amneris, die diese Klänge aus dem unterirdischen Gewölbe vernimmt, fühlt ihre Ohnmacht – sie kann zwar noch beten und flehen, für aktive Hilfe ist es jedoch zu spät. In einer zweiten, nunmehr durch einen kraftvollen Bläsersatz getragenen Anrufung der Priester sind alle Vorbereitungen getätigt; jetzt ist die Zeit, Radames mit seinen Vergehen zu konfrontieren und Klage gegen ihn zu führen.

Dreimal setzt Ramfis an, jeweils durch den dreimaligen Ruf »Radames!« eingeleitet, der sich sukzessiv Halbton für Halbton hochschraubt. Sein Echo findet dieser Appell in Trompeten- und Posaunenstößen, die zwar kräftig zu sein haben, aber mit entsprechender Abdämpfung hinter der Szene erklingen. Ohne Taktbindung, frei im Rhythmus, trägt Ramfis an drei Stellen die verschiedenen Anklagepunkte vor (Verrat von Staatsgeheimnissen, Entfernung von der Truppe, Eidesbruch dem König und Vaterland gegenüber). Auf die Aufforderung der Priester, sich zu erklä-

Steckbrief: Amneris

Die stolze Tochter des Pharao komplettiert das Figurendreieck, das im Zentrum von Verdis Oper steht. Gegenüber Aida und Radames besitzt sie als Angehörige der Herrscherfamilie einen herausgehobenen gesellschaftlichen Status. Sie kann über ein Heer von Sklavinnen und Sklaven gebieten und führt in ihren Palastgemächern ein luxuriöses Leben. An der Seite ihres künftigen Mannes wird sie eines Tages über Ägypten gebieten.

Ihrer besonderen Stellung ist sie sich durchaus bewusst. Gerne lässt sie ihre Gegenüber spüren, in der Hierarchie über ihnen zu stehen, nicht selten begegnet sie ihnen mit Herrscherpose und einer gewissen Hochmütigkeit. Eine andere Seite besitzt sie indes auch: Amneris ist die Impulsive, die darunter leidet, dass nicht alle ihre Wünsche in Erfüllung gehen. Insbesondere die Liebe kann nicht erzwungen werden, was Amneris schmerzvoll erfahren muss: Der von ihr so heiß begehrte Radames hat sich Aida erwählt – ausgerechnet ihre Sklavin. Auch die in der Tat glänzenden Zukunftsaussichten, gemeinsam mit Amneris Ägypten zu regieren, können Radames nicht dazu bewegen, Aida zu entsagen.

Amneris freilich gibt ihre Hoffnungen nicht auf. Im Isis-Tempel bittet sie darum, dass Radames sich in Liebe mit ihr verbinde. Die rasende Eifersucht auf Aida kann jedoch so schnell nicht gestillt werden; wiederholt sie bricht mit aller Vehemenz aus. Indem Amneris sich von dieser Leidenschaft unkontrolliert mitreißen lässt, entfernt sie sich immer weiter von ihrem Ziel, Radames für sich zu gewinnen.

Am aktionsreichen Ende des 3. Aktes wird sie zur Zeugin sowohl des Verrats Radames' als auch von dessen Vertrautheit mit Aida. Als sie versucht, die Fliehenden mithilfe der Wachen festzusetzen, entgeht sie nur knapp ihrer Ermordung: Radames rettet sie vor dem bereits gezückten Dolch Amonasros. Ähnlich wie Aida wird auch Amneris in einen Zwiespalt getrieben: Einerseits wünscht sie die Bestrafung der Verräter, andererseits bemüht sie sich mit aller Kraft, den geliebten Radames vor der Verurteilung (und dem sicheren Tod) zu bewahren.

Verzweifelt und tatenlos muss sie jedoch den Gerichtsprozess verfolgen. Ihre Anklage gilt Ramfis und den Priestern, die für Radames die härteste der Strafen gewählt haben. Hilflos muss Amneris ansehen, wie Radames in die Grabkammer geführt wird. Ihr bleibt nur, die Götter um Frieden für ihn (und zugleich auch für sich) zu bitten. Es scheint kaum denkbar, dass die Pharaonentochter jemals glücklich werden wird.

ren, antwortet Radames nicht ein einziges Mal. Die Feststellung seiner Schuld ist dann nur noch Formsache. Auf jeden dieser drei Schuldsprüche reagiert Amneris mit einem emotionalen Ausbruch und der Bitte um Erbarmen (»Ah, pietà!«). Wirkungsvolle Kontraste sind hergestellt – das theatralische Gespür und der Erfindungsgeist des Musikdramatikers Verdi zeigen sich hier einmal mehr sehr nachdrücklich.

Nach dem letzten der drei so entschieden vorgetragenen Urteile lassen Ramfis und die Priester die aufgestaute Wut gegenüber Radames, der in ihren Augen ein ehrloser Verräter ist, freien Lauf: Mit gewaltiger Attacke, die einen intensivierten Ton ebenso einschließt wie rhythmische Schärfungen, unterstützt von grell hereinfahrenden Akkorden sowohl der Bühnenmusik als auch des Orchesters im Graben, wird das Schicksal von Radames verfügt: Er soll lebendig in die Grabkammer eingeschlossen werden und dort elendig zugrunde gehen.

Amneris, die alles das mitbekommt, schwingt sich angesichts des unmenschlichen Urteils zu bemerkenswerter Größe auf. Ramfis selbst schleudert sie Worte entgegen, die nur zu deutlich ihre Abscheu ausdrücken: Er und seine Priester seien nichts anderes als Mörder (»Sacerdote: quest'uomo che uccidi« – »Priester, den Mann, den du tötest«). Mit großer expressiver Emphase, die sie in hohe Lagen hinaufführt, plädiert sie vehement für die Unschuld von Radames, obwohl ihre Machtlosigkeit doch offensichtlich ist. Die sich entfernenden Priester wiederholen jedoch mantraartig und ungerührt »Traditor!« – »Verräter!«. Amneris bleibt allein zurück: Ihr mit voller Kraft ausgestoßener Fluch auf die Priesterschaft findet keine Zeugen mehr, erleichtert aber womöglich das Gewissen der Pharaonentochter. Mit dramatischem Impuls, getragen von den bläserdominierten Klängen des großen Orchesters, schließt die Szene. Der folgende Schauplatzwechsel ist wiederum mit starken Kontrasten verbunden.

Szene, Duett und Finale Aida, Radames, Amneris, Chor (Priesterinnen und Priester) »La fatal pietra sovra me si chiuse« / »Immenso Fthà« / »O terra addio; addio valle di pianti«: Tod und Verklärung

In diesem letzten Bild von *Aida* erweist sich die von Verdis außergewöhnlichem musikdramatischen Vermögen ausgehende Suggestivkraft noch einmal auf eindrucksvolle Weise. Hier scheinen die Charaktere wie selten zuvor ganz bei sich zu sein, wohl nicht von ungefähr im Angesicht des Todes bzw. im Zuge einer direkten Konfrontation mit dem sich vollziehenden tragischen Geschehen.

Der Abschluss der Oper kann geradezu als Gegenpol zur großen, klanglich ausladenden Triumphszene des 2. Aktes gesehen werden. Aktives Handeln findet kaum mehr statt, nur noch Reflexion, Erinnerung, auch Verklärung. Dennoch lassen sich gewisse Prozesse feststellen: Vom Rezitativischen zum Kantablen, vom Beengenden des Raumes hin zur visionären Schau neuer Welten in einem wie auch immer gearteten Jenseits.

Solange Radames glaubt, allein in der Grabkammer zu sein, ist er nur sehr bedingt zur Entfaltung von Kantilenen in der Lage. Lediglich da, wo er sich Aida ins Gedächtnis ruft, blüht das Melos kurzzeitig auf (»Aida, ove sei tu?« – »Aida, wo bist du?«). An dem Punkt jedoch, an dem offensichtlich wird, dass Aida mit ihm gemeinsam den Tod sucht, belebt sich die Szene. Der zuvor ausgesprochen karge Tonsatz des Orchesters wird immer mehr angereichert, den zwischen Hoffnung und Verzweiflung schwankenden Gefühlsäußerungen wird größerer Raum gegeben. Sowohl leidenschaftlich als auch entspannt besingt Radames das Glücksgefühl, mit dem geliebten Menschen zu sterben, das Nahen des Todesengels, das Aida zu spüren glaubt, wird durch eine Musik von heiterer Leichtigkeit vergegenwärtigt, mit für sich einnehmenden dolce-Tönen und leichtfüßiger Artikulation (»Vedi? ... di morte l'angelo« – »Siehst du? ... der Todesengel«).

Eine andere Qualität gewinnt die Musik erst mit dem Aufscheinen der Chorklänge: Die Priesterinnen und Priester im Tempel stimmen einen sakralen Gesang an, der sich in seinen Melodiebildungen sowie im Blick auf die stimmungsvolle, wenngleich monotone Harfenbegleitung an der Tempelszene des 1. Aktes orientiert, hier aber in den Charakter einer Trauer- und Klagemusik überführt ist (»Immenso Fthà« – »Großmächtiger Phtà«). Unter gewaltiger Kraftanstrengung motiviert sich Radames ein letztes Mal, ins Leben zurückzukehren, indem er den Stein, der die Grabkammer verschließt, wegzuwälzen versucht – nach diesem vergeblichen Bemühen fügt er sich endgültig in sein Schicksal.

Die abschließende Kantilene auf »O terra addio; addio valle di pianti« – »Leb wohl, o Erde, lebe wohl, Tal der Tränen«, die zunächst Aida in den Mund gelegt ist und die dann von Radames aufgenommen und fortgeführt wird, ist – neben dem Triumphmarsch – zum Sinnbild für Verdis Oper geworden. Kaum jemals hat der Komponist eine Melodie so großzügig und weiträumig eingesetzt wie diese. Die Sängerinnen und Sänger, die sie auszugestalten haben, müssen größtmögliche Sensibilität für ihren durchaus ungewöhnlichen Verlauf mitbringen (man denke nur an die wahrlich nicht alltäglichen großen Intervallsprünge sowie das mehrfache Heben und Senken innerhalb einer Phrase) sowie ihr eine hochgradig differenzierte Tongebung zukommen lassen, damit sich ihr gesamter

Reiz entfaltet. Mehrfach hebt diese bei aller gestalterischen Komplexität doch so kristallinklar wirkende Ges-Dur-Linie an, die beide Protagonisten bis zum hohen *b* hinaufführt und dann vollkommen organisch schließt. Lediglich durch unaufdringlich gesetzte Stützakkorde und -flächen des Orchesters grundiert, liegt die Verantwortung für das Gelingen ganz wesentlich bei den Sängern – zumal dann, wenn sich das Duett zum Terzett erweitert, wenn Amneris mit ihrem eindringlichen Gebet hinzutritt:

Ihr Bitten um Frieden, auf nur einem Ton und mit ersterbender Stimme vorgetragen, schließt den Kreis. Ein letztes Mal erklingt die »Abschieds-« bzw. »Verklärungsmelodie« von Aida und Radames, nun gespielt von vier Solo-Violinen in gleichsam stratosphärischer Höhe. Das letzte Wort haben jedoch Amneris und der Chor, die gemeinsam mit dem unglaublich fein gesponnenen Orchestersatz für einen magischen Klang sorgen, den Verdi nur selten so erreicht hat.

Essay: Verdis »Aida« – Zwei Seiten eines Werkes

Möchte man Verdis *Aida* mit nur einem Wort oder Satz charakterisieren, so erkennt man leicht die Unmöglichkeit eines solchen Unterfangens. Stärker noch als bei anderen Opernwerken – und keinesfalls nur bei denen aus der Feder Verdis – scheint *Aida* eine janusköpfige Gestalt zu haben, mit zwei Gesichtern, die in entgegengesetzte Richtungen blicken und sehr unterschiedliche Züge besitzen.

Aida ist ein Werk des »Sowohl-als auch«: Verdi entwarf es sowohl als eine auf Monumentalität bedachte Grand opéra als auch in Form eines intimen Kammerspiels. Massenszenen spielen für die Gesamtanlage ebenso eine Rolle wie das Aufeinandertreffen der Protagonisten – und auch auf Situationen, in denen sich allein eine Figur auf der Bühne befindet und seinen Gefühlen Ausdruck gibt, wird keineswegs verzichtet. Ist bei derartigen Szenen häufig ein merklich zurückgenommener, verinnerlichter Ton bestimmend, so dominiert bei den einschlägigen Repräsentationsnummern ein ausgesprochen klangkräftiges Gepränge, das die Grenze zum bombastischen Spektakel des Öfteren streift, wenn nicht gar überschreitet. Es bleibt in der Schwebe, welche dieser beiden Seiten nun eigentlich das größere Gewicht besitzt.

Zwei Pole verdeutlichen schlaglichtartig, welche spannungsreichen Kontraste Verdi in sein Werk einkomponiert hat: zum einen die auf den grandiosen Effekt abzielende Triumphszene am Ende des 2. Aktes (das tableauhafte Gran finale vor der Pause), zum anderen die Schlussszene der Oper, die nach den Vorstellungen Verdis auf verschiedenen Ebenen und in geteilten Räumen stattfindet (das Duett Aida / Radames in der Grabkammer, darüber die von den Priestern umringte klagende Amneris) – optisch wie musikalisch liegen Welten dazwischen. Die gängige Beurteilung beider Szenen driftet im Übrigen auch weit auseinander: Während die Schlusssequenz von Anfang an als ein Höhepunkt von *Aida* galt, da Verdi hier zu einer außergewöhnlichen Verdichtung des musikalischen

Ausdrucks gefunden habe, wurde die Triumphszene trotz ihres kaum zu leugnenden Schauwertes und ihrer besonderen klanglichen Intensität nicht selten als »Ausrutscher« Verdis abgetan, der hier gezwungen war, den Konventionen der Grand opéra Rechnung zu tragen.

Dem ist entgegenzuhalten, dass Verdi bewusst und planvoll das eine wie das andere in Musik gesetzt und bis in die feinsten Verästelungen hinein ausgestaltet hat. Nicht nur das viel bewunderte letzte Finale mit seinem expressiven Reichtum und seinen magischen Klangwirkungen, sondern auch das häufig scharf kritisierte Gran Finale – dem man vorwarf, oberflächlichen Pomp in Verbindung mit martialischer Attitüde hervorzukehren – entsprach voll und ganz den Intentionen Verdis. Auf einem anderen Blatt steht indes, wie diese Szene rezipiert – und teils scharf kritisiert – worden ist: als Ausdruck einer auf die Demonstration von Macht und Stärke bedachten »Staatsaktion«, die mit einer Musik von kaum mehr zu steigernder Wucht einhergeht.

Beides, das Lyrisch-Verinnerlichte und das großspurig nach außen Gekehrte, das Zarte und das Grobe, gehören also zu Verdis *Aida* und machen den Charakter dieser Oper aus. Zu beiden müssen sich auch Dirigenten und Sänger sowie Regisseure, Bühnen- und Kostümbildner ins Verhältnis setzen. Die jeweils eigene Zeit mit ihren speziellen Zuständen und Problemlagen lässt sich dabei nur schwerlich ausblenden. Verdi selbst muss sich darüber im Klaren gewesen sein, dass trotz aller auch noch so intensiven Bemühungen um ein möglichst authentisch wirkendes altägyptisches Kolorit zeitgeschichtliche Kontexte mit in das Werk eingeflossen sind. Verdis passive wie aktive Anteilnahme an gesellschaftspolitischen Entwicklungen, die über nahezu seine gesamte Lebens- und Schaffenszeit zu beobachten ist, hat auch in *Aida* seine Spuren hinterlassen. Immer dort, wo ein (vermeintlich) Schwächerer mit einem (vermeintlich) Stärkeren konfrontiert wird, wo soziale Rangunterschiede wirksam werden und das Handeln der Figuren bestimmen, scheint Verdis Musik besonderes Profil zu gewinnen – etwa in den zu dramatischer Größe anwachsenden Auseinandersetzungen der Sklavin Aida bzw. des gefallenen Helden Radames mit der machtbewussten Pharaonentochter Amneris, die sich weder in dem einen noch dem anderen Fall als Siegerin fühlen darf.

Auch die trotz aller erhaben-feierlichen Tönung nur wenig schmeichelhafte Charakterisierung der Priesterschaft ließe sich als unverhohlene Kritik an der ideologischen Macht von Theokraten – gleich welcher Religion – deuten. Und darüber hinaus wird deutlich, dass Verdi mit streng hierarchisch gegliederten und in sich abgeschlossenen Staatswesen, wie sie uns in *Aida* begegnen, gewiss nicht sympathisiert.

Die Protagonisten des Dramas – und auch das vermittelt der Text ebenso wie die Musik – sind keine auch nur im Ansatz frei agierenden Personen, sondern in jeweils ihre Welt, in die sie hineingeboren oder durch Zwang hineingeworfen sind, integriert. Sie verfügen über bestimmte Handlungsspielräume, sind Zwängen ausgesetzt, lassen sich manipulieren, üben Macht aus oder spüren ihre Ohnmacht. Von vielfältigen Wünschen und Hoffnungen, Sehnsüchten und Träumen sind sie erfüllt und zugleich getrieben – und zumindest die drei Hauptfiguren bringen das auch unverstellt zum Ausdruck.

Die für die Konzeption und Gestalt von *Aida* Verantwortlichen – der Szenariumsverfasser Auguste Mariette, der Librettist Antonio Ghislanzoni und natürlich Giuseppe Verdi – haben sehr genau die geschichtlichen Hintergründe gezeichnet, vor denen sich das Drama abspielt: Schauplätze wurden entworfen, die so real wie nur irgend möglich wirken. Zudem wurde ein zeitgeschichtliches Umfeld zum Leben erweckt, das in dieser Form niemals existierte, aber auch kein bloßes Phantasiegebilde ist. Obwohl die Oper keinem historisch greifbaren Geschehen folgt, wird doch stets eine solche Greifbarkeit suggeriert.

Aida besitzt also zumindest den Anschein von Authentizität – was im Zeitalter des Historismus ein Wert für sich war. Die Rätsel der Vergangenheit zu ergründen, indem man direkt zu den historischen Quellen ging, war ein beredter Ausdruck dieses durchaus modernen historischen Denkens, wie es gerade in der zweiten Hälfte des 19. Jahrhunderts großen Anklang fand. Das Interesse an der Archäologie, das keinesfalls nur die gebildeten Schichten erfasste, nahm beständig zu und wurde zur Antriebskraft eines neuen Bewusstseins, das auf die Einsicht abzielte, dass in der Gegenwart immer auch die Geschichte mit aufgehoben ist.

Die Archäologie, noch dazu an einer der frühen Stätten der Zivilisation, hatte zu Verdis Zeiten etwas Faszinierendes. Das Bestreben, Schätze zutage zu fördern, die seit vielen Jahrhunderten im Boden oder in verschlossenen, einstmals heiligen Kammern schlummerten, animierte den Entdeckergeist. Dass zwischen schnödem Raub und ernsthaft betriebenen wissenschaftlichen Forschungen, die von der Sorge um den Erhalt wertvollster Zeugnisse der Menschheitsgeschichte getragen waren, eine gewisse Grauzone herrschte, blieb schon den Zeitgenossen nicht verborgen. Allein: das Verlangen nach dem Fremden, Unbekannten, Exotischen, rief immer neue Aktivitäten hervor und führte zu immer neuen Plänen, wie man die vor so langer Zeit versunkenen Kulturgüter am besten wieder heben und ausbeuten könnte.

Zusammenfassen ließen sich alle diese Denk- und Handlungsansätze unter dem Begriff »Ägyptomanie«. Vor allem in Frankreich besaßen sie zu der Entstehungszeit von *Aida* eine lange Tradition, da bereits während des 16. Jahrhunderts das Interesse am alten Ägypten erwacht und seither aktuell geblieben war. Regelrecht populär wurde ein Stil »à l'égyptienne« im Zusammenhang mit dem Feldzug Napoleon Bonapartes, den er an der Spitze eines französischen Truppenaufgebots 1798/1799 nach Ägypten und Palästina unternommen hatte. Zwar ließ sich eine politische Neuordnung im Sinne der französischen Revolution, wie sie dem jungen General vorschwebte, nicht verwirklichen (und auch aus rein militärischer Sicht war die Expedition nur wenig erfolgreich), für die »Grande Nation« ergab sich aber ein enormer Gewinn, indem das nordafrikanische Land, das sowohl geografisch als auch kulturell zwischen Orient und Okzident angesiedelt war, verstärkt in das Blickfeld rückte. Zwischen 1809 und 1826 erschien die groß angelegte *Description de l'Égypte*, eine Reihe von prachtvoll ausgestalteten Bänden, in denen das Material ausgebreitet wurde, das während des napoleonischen Ägyptenzuges gesammelt worden war. Zudem eröffnete die 1822 durch französische Wissenschaftler gelungene Entzifferung der Hieroglyphen die Möglichkeit, sich genauer mit den erhaltenen schriftlichen Quellen zu beschäftigen. Waren damit wichtige Fundamente der Ägyptologie gelegt, so entwickelte sich auf der Ebene der Alltags- und Popularkultur in Paris und anderen großen Städten eine wahre Ägyptenmode, die sich in der Gestaltung von Möbeln, Kleidern und Ornamenten aller Art ebenso niederschlug wie in der Architektur. Einen Höhepunkt dieses Prozesses bildete die Pariser Weltausstellung von 1867, bei der nicht nur – unter fachkundiger Anleitung von Mariette – ein ägyptischer Pavillon errichtet, sondern auch eine spektakuläre »Sphinx-Allee« angelegt wurde, in der in größtmöglicher Detailtreue und mit immensem dekorativen Aufwand das alte Ägypten Gestalt gewann.

Dass der Geist des europäischen Kolonialismus hierbei nicht nur beiläufig, sondern ganz zentral zum Tragen kam, ist ein Faktum, das in diesem Zusammenhang weder zu verschweigen noch zu verharmlosen ist. Schon Napoleon wollte Ägypten der französischen Einflusssphäre zuschlagen. Unter dem in Frankreich sozialisierten ägyptischen Vizekönig, dem Osmanen Ismail Pascha, wurde das Land zunehmend »verwestlicht«, wenngleich es weiterhin islamisch geprägt blieb. Spätestens mit der Eröffnung des Sueskanals 1869 war Ägypten aber für die imperial agierenden europäischen Großmächte – insbesondere für Großbritannien – ein geostrategisch ungemein wichtiges Territorium. Zwei verschiedene Interessenlagen fanden hier zusammen: Die Faszination der legendären, Schritt für Schritt wieder zutage geförderten alten Hochkultur ging konform mit einer kaum versteckten Gier nach politischer Herrschaft, kultureller Hegemonie und wirtschaftlichen Vorteilen.

Der spürbare Aufschwung, den die Ägyptologie gerade in der zweiten Hälfte des 19. Jahrhunderts nahm, ist durch diesen doppelten Ansatz heraus motiviert. Den mehr oder minder professionellen Wissenschaftlern war es dabei vorbehalten, sich vor Ort selbst ein Bild von den Pyramiden, Tempeln und anderen Bauten sowie den überlieferten Schriften, Kunst- und Alltagsgegenständen zu machen, während sich das interessierte europäische Bürgertum mit den vom Nil herantransportierten Artefakten begnügen musste. »Ägypten« wurde zur Chiffre für einen geheimnisvollen Ort der Sehnsucht, von dem man gleichwohl wusste, dass wohl nur die Wenigsten die Chance haben würden, einmal dorthin zu gelangen und unmittelbar vor Ort die Schätze der antiken Hochkultur in Augenschein zu nehmen.

Sehnsuchtsorte werden auch in Verdis Oper beschworen. Ägypten gehört freilich nicht dazu, ist dieses Land doch für zwei zentrale Personen, Aida und Amonasro, ein fremdes, sogar feindliches Territorium. Die Heimat Äthiopien wird dagegen als Ideal verklärt, mit nach Balsam duftenden Wäldern, grünen Hügeln und frischen Tälern: Es ist das Wunschbild eines Landes in weiter, nur schwer erreichbarer Ferne. Auch hier dürfte sich das zeitgenössische Publikum durchaus angesprochen gefühlt haben, wurde doch mit dem sehnsuchtsvollen Blick, den Vater und Tochter in die Heimat aussenden, eigenes Empfinden aktiviert. Der Dualismus von Ägypten und Äthiopien, wie er in Verdis Oper behauptet wird – abermals sind hier zwei Seiten eines Zusammenhangs als Gegensätze aufgebaut –, findet sein Pendant im spannungsvollen Verhältnis zwischen einer erfahrbaren Realität und fernen Traumwelten.

Exotische Szenerien, wie sie uns in *Aida* begegnen, übten einen speziellen Reiz und eine große Anziehungskraft aus, dem sich auch die Opernlibrettisten und -komponisten nicht entziehen konnten. Die Operngeschichte des 19., aber auch schon des 18. Jahrhunderts ist zwar nicht übermäßig voll von Werken, in denen fremde Kulturen sowohl in der Handlung eine Rolle spielen als auch in der Musik reflektiert werden, dennoch stechen einige prominente Beispiele hervor. Genannt seien etwa Rameaus Opéra-ballet *Les Indes galantes* (1735), das den Zuschauer u. a. in das Osmanische Reich, zu den Inkas nach Peru, nach Persien sowie nach Nordamerika führt, des Weiteren Mozarts orientalisch angehauchte *Entführung aus dem Serail* (1782) und *Die Zauberflöte* (1791), in der sich die zeitgenössische Ägyptenmode und -begeisterung eher im- als explizit niedergeschlagen hat. Im 19. Jahrhundert sind es dann Werke wie Rossinis *Semiramide* (1823), Webers *Oberon* (1826) oder Meyerbeers *L'Africaine* (1865), letztere im Gewand einer opulenten Grand opéra, die einer solchen Grundausrichtung folgen. Und nach *Aida* ließe sich die Liste von Werken, die hinsichtlich ihrer Sujets und ihrer Musik an Orten außerhalb der westlichen Welt angesiedelt sind, fast beliebeig fortsetzen: Puccinis *Madama Butterfly* (1904) und Turandot (1926) wären hier etwa ebenso zu nennen wie Massenets *Esclarmonde* (1889) und *Thais* (1894), wo erneut Ägypten Schauplatz des Geschehens ist.

Ein besonderes Kennzeichen von Verdis *Aida* liegt darin, dass der Exotismus, so wichtig er auch für das gesamte Erscheinungsbild des Werkes ist, lediglich als Folie für eine Handlung genommen wurde, die relativ einfach auch in ein anderes Ambiente hätte verpflanzt werden können. Prinzipiell wäre es sogar möglich, von allem altägyptischen Dekor zu abstrahieren, ohne dass die Geschichte größeren Schaden nehmen würde. Ihre Nähe zu einer bürgerlichen Tragödie ist offensichtlich, zieht man einmal die großen Repräsentationsszenen ab. Mit elegischem Ton, ein wenig larmoyant sogar, nach Art eines Rührstücks scheinen die Handlung und die sie tragenden Protagonisten daherzukommen. Diese bieten ein hohes Identifikationspotential, lässt man einmal die geografischen und historischen Kontexte beiseite, denen das Werk zumindest aus der Sicht Mariettes und Verdis verpflichtet ist. Ob sie nun im alten Ägypten oder an anderen Orten und zu anderen Zeiten angesiedelt sind: Die Figuren auf der Bühne haben uns buchstäblich etwas zu sagen – und auch das macht die Qualität von *Aida* aus.

Und doch ist ein Missbehagen unverkennbar: Festzumachen ist dies vor allem an den übergroßen, zuweilen sehr plakativen Gesten, die im Werk ebenso verankert sind wie die kantablen, lyrischen, unmittelbar anrührenden Töne, die von jeher beim Publikum wie bei der Kritik Gefallen gefunden haben: Hier treffen Welten aufeinander, die keine Gemeinsamkeiten zu haben scheinen. Die zwei Seiten von *Aida*: Mit dieser im Grunde unauflösbaren Spannung wird man wohl leben müssen, solange man sich mit dieser Oper beschäftigt und solange dieses Ausnahmewerk auf den Bühnen der Welt präsent ist.

Theaterwelten: Inszenierungs- und Aufführungsgeschichte

Von Kairo in die Welt: Uraufführung und zeitgenössische Produktionen

Verdi war sich durchaus bewusst, mit dem Opernhaus in Kairo einen in seiner Größe und seinen technischen Möglichkeiten beschränkten Uraufführungsort zu haben. Verglichen mit denjenigen Häusern, in denen er zuvor und gegenwärtig arbeitete – der Mailänder Scala oder der Pariser Opéra etwa – wirkte der Neubau am Nil mit seinen nicht einmal tausend Plätzen geradezu winzig. Als Nachteil musste Verdi das freilich nicht unbedingt empfinden, konnten auf diese Weise doch die kammerspielartigen Züge von *Aida*, die als Gegenpol und Pendant zu den offenkundigen Grand-opéra-Merkmalen immer wieder hervortreten, hervorragend zur Geltung kommen.

Die Chance, die Verhältnisse in Kairo persönlich in Augenschein zu nehmen, hat Verdi indes nicht wahrgenommen. Sein Vertrag mit der Direktion des Opernhauses ließ dies zu, wenngleich man vor Ort sicher hoffte, dass der prominente Komponist bei der Uraufführung seines Werkes anwesend sein würde.

Vorbereitungen

Was Verdi aber im Auge behielt und sich nicht aus der Hand nehmen ließ, waren konkrete Planungen im Blick auf die anstehende Uraufführung. Nach der durch den Deutsch-Französischen Krieg erzwungenen Verschiebung sowohl der Premiere in Kairo als auch der bereits ins Auge gefassten europäischen Erstaufführung in Mailand war die Situation jedoch eine andere. Zum einen hatte Verdi Zeit gewonnen, die er zur Feinarbeit an der Partitur gut nutzen konnte (am 20. September 1871 übergab er dem Kairoer Operndirektor Draneth Bey eine Kopie, während er das Original bei sich behielt), zum anderen stellten sich aber auch manche aufführungspraktische Fragen neu, konzeptionell wie personell.

Worauf Verdi am wenigstens Einfluss hatte, war das szenische Kolorit, das dem Wunsch der Kairoer Auftraggeber gemäß durch und durch ägyptisch sein sollte. Obwohl Verdi erstaunlich tief in die Materie eingedrungen war, musste er sich doch im Wesentlichen auf die Ideen und Vorschläge des ausgewiesenen Ägypten-Kenners Mariette verlassen. Die Kostüm- und Kulissenentwürfe, die dieser vorlegte, basierten auf umfangreichen wissenschaftlichen Forschungen seinerseits. Die bei eigenen Ausgrabungen gemachten Entdeckungen flossen hier ebenso ein wie die Sichtung und Auswertung von Museumsbeständen. Von erfahrenen Pariser Theaterwerkstätten wurde dann die Herstellung der aufwendigen Bühnenbilder, Kostüme und Requisiten übernommen – die von den deutschen Truppen Ende 1870 verhängte Blockade der Transportwege von und nach Paris brachte jedoch den ursprünglichen Zeitplan durcheinander.

Der Uraufführungstermin wurde schließlich auf Dezember des Folgejahres festgelegt. Von besonderer Wichtigkeit war zunächst die Auswahl des Dirigenten und der Sänger. Da Verdi genaue Vorstellungen besaß, wie seine neue Oper von musikalischer Seite aus zu wirken hatte, drängte er darauf, einen mit seinen Intentionen bestens vertrauten Dirigenten für die Uraufführung zu verpflichten. Mit dem bislang hoch geschätzten Angelo Mariani, unter dessen Leitung die Neufassung von *La forza del destino* an der Mailänder Scala zum Erfolg geworden war, hatte er sich allerdings überworfen, sodass er zunächst Emanuele Muzio – den Einzigen, der als direkter Schüler Verdis zu bezeichnen ist – als seinen Favoriten ins Spiel brachte. Muzio, der 1870 den Posten des Chefdirigenten am Théâtre-Italien in Paris angetreten und bereits zuvor eng mit Verdi zusammengearbeitet hatte, stand indes aufgrund der erzwungenen Terminänderung auch nicht mehr zur Verfügung, da er seinen Pariser Verpflichtungen nachkommen musste.

Letzten Endes akzeptierte Verdi einen Vorschlag aus Kairo: Als musikalischer Leiter sollte ein Landsmann Verdis, Giovanni Bottesini, in Aktion treten. Bottesini hatte als Kontrabassvirtuose international auf sich aufmerksam gemacht – er galt sogar als »Paganini des Kontrabasses« –, war in den 1860er-Jahren aber zunehmend als Dirigent aktiv geworden. Draneth Bey war, da er um die besondere Sensibilität Verdis in Personal-

fragen wusste, im Mai 1871 höchstselbst nach Sant'Agata gereist, um alles Notwendige zu klären und etwaige Unstimmigkeiten auszuräumen. Verdi zeigte sich schließlich mit Bottesini als Dirigenten einverstanden, ebenso mit der Sängerbesetzung, die neben der für die Titelrolle vorgesehenen Sopranistin Antonietta Anastasi-Pozzoni, den Tenor Pietro Mongini als Radames, Eleonora Grossi als Amneris, Francesco Steller als Amonasro und Paolo Medini als Ramfis umfasst – kein absolut glänzendes, aber ein zweifelsohne sehr gutes Ensemble erfahrener Verdi-Sänger.

Spektakel in Kairo

Obwohl in den Wochen vor dem anvisierten Uraufführungstermin fieberhaft musikalisch wie szenisch gearbeitet worden war, stand das Unternehmen in Gefahr, zum Fiasko zu werden. Noch zur Hauptprobe war ein Großteil der Bühnenbilder und der Requisiten nicht zur Hand. Durch gemeinsame Anstrengungen aller beteiligten Künstler und des gesamten technischen Apparates konnten die Probleme jedoch noch recht-

Das Opernhaus in Kairo, das im November 1869 mit Verdis »Rigoletto« eröffnet wurde. Ende 1871 fand dort die Uraufführung von »Aida« statt.

zeitig behoben werden – wahrscheinlich war auch die Ankündigung des ägyptischen Vizekönigs, neben der Premiere auch die Generalprobe besuchen zu wollen, dabei hilfreich.

Nach den Berichten der Augenzeugen gestaltete sich die Uraufführung an Heilig Abend 1871 zu einem glänzenden Erfolg. Vor ausverkauftem Haus gab es Ovationen für die Sänger, den Dirigenten, Chor und Orchester, vor allem aber für das Werk selbst. Der Vizekönig und die Operndirektion, die viel getan hatten, um Verdi für den ägyptischen Stoff zu begeistern und die immerhin eine enorme Summe investiert hatten, um die Herstellung der Partitur und der Produktion zu ermöglichen, zeigten sich hochzufrieden. Verdi wurde sein Engagement nicht nur mit einem fürstlichen Honorar, sondern auch mit dem Titel eines Komturs des Osmanischen Ordens gedankt – allerdings in Abwesenheit.

Direkt vor Ort waren nur wenige Kritiker aus den einschlägigen europäischen Opernzentren. Obwohl der Vizekönig explizit dazu eingeladen hatte, sich die Kairoer Premiere anzuschauen und darüber zu berichten (Verdi hat sich nicht gerade positiv über die vom Eigentlichen ablenkende »Reklame« geäußert), meldeten sich nur zwei – allerdings gewichtige – Stimmen zu Wort: die des Italieners Filippo Filippi (1830–1887), eines der einflussreichsten Musikkritiker Italiens, und die des Franzosen Ernest Reyer (1823–1909). Dass beide (auch Reyer, der Verdi ansonsten sehr kritisch gegenüberstand) in seltener Einhelligkeit die Oper lobten, spricht für die Qualität des Werkes.

Großen Beifall erhielt die Musik Verdis, nicht minder aber auch die Ausstattung und die szenische Umsetzung. Die minutiöse Arbeit von Mariette, die am Uraufführungserfolg von *Aida* sicher einen maßgeblichen Anteil besaß, hatte sich voll und ganz ausgezahlt. Ein geradezu überschwängliches Lob gab es vom Operndirektor Draneth Bey: »Niemals hatten wir in irgendeinem Theater eine so großartige Produktion gesehen, so schön und so historisch genau: dank der aufopfernden Hilfe von M. Mariette Bey.«

Giovanni Bottesini im Kreis seiner Familie in Kairo. Der begnadete Kontrabass-Virtuose und Dirigent leitete die »Aida«-Premiere von 1871.

Live aus Kairo

Für das Mailänder Journal *La Perseveranza* berichtete am 27. Dezember 1871 der ebenso kenntnisreiche wie gefürchtete italienische Musikkritiker filippo filippi von der *Aida*-Uraufführung:

»Ich habe vielen Bühnen- und Inszenierungsproben beigewohnt, an denen alle mit vorbildlichem Eifer und Fleiß teilnahmen. (...) Bottesini für das Orchester, Devasini für die Chöre, D'Ormeville für die Inszenierung hatten seit vierzehn Tagen keine freie Minute der Ruhe gehabt. Die Musikproben verliefen immer programmgemäß, doch die der Inszenierung waren lahm, unvollständig, so dass bei der Hauptprobe weder eine Dekoration noch eine Kulisse oder ein Versatzstück an Ort und Stelle waren (...).

Als ich bei der vorletzten Gesamtprobe sah, wie wenig die Inszenierung vorbereitet war, konnte ich mir nicht vorstellen, dass es möglich sei, zum Sonnabend die erste Aufführung zu wagen. Aber ein höherer Wille befahl das Wunder (...) und das Wunder geschah. (...) Die Probe am Sonnabend war für alle in der Tat eine heroische Leistung: es genügt mitzuteilen, dass sie von sieben Uhr abends bis dreieinhalb Uhr morgens dauerte und zwar in Gegenwart der Abonnenten, die fast alle bis zuletzt Stand hielten, sogar die Damen in den Logen und der Vizekönig selbst, mit seiner ganzen Suite.

Diese Generalprobe war entscheidend für den Erfolg, denn da die Abonnenten anwesend und die Räume des Theaters erleuchtet waren und die Künstler sich im vollen Kostüm befanden, so unterschied sie sich von der ersten Vorstellung nur durch die Länge der Zwischenakte (...). Wie bei der Hauptvorstellung, so gab es auch hier Beifall, Ovationen und Rufe der Begeisterung. Während der Zwischenakte war die Unterhaltung äußerst lebhaft, man bewunderte gegenseitig das große Werk und war innig erfreut darüber, dass dem Theater in Kairo die hohe Ehre vorbehalten geblieben war, einer so schönen, großartigen Komposition das Leben zu geben. Jedes Stück vom Vorspiel an bis zum Schlussduett wurde applaudiert, und bisweilen konnten die Zuschauer ihre Ungeduld so wenig zügeln, dass sie sogar während des Spiels in Beifallsrufe ausbrachen. (...)

Als wir um 3½ Uhr nachts (...) das Theater verließen, waren alle entzückt und freuten uns, die neueste Musik des großen Meisters gehört zu haben. Wegen des Zaubers der wunderbaren Szenen, der prächtigen Ausstattung, des Glanzes der Waffen und des Geschmeides, vor allem aber wegen der Handlung schien sie (...) tausendfach an Schönheit und dramatischer Wirkung gewonnen zu haben.«

Scala-Premiere

Kairo war ein Erfolg für die Geschichtsbücher; wichtiger als die Uraufführung schien Verdi indes die europäische Erstaufführung in Mailand zu sein, die nur wenige Wochen später, am 8. Februar 1872, angesetzt war. Die Auswahl der Sänger lag diesmal wesentlich in den Händen von Giulio Ricordi, dem Sohn des mit Verdi freundschaftlich verbundenen Verlegers Tito Ricordi. Da er ab dem Ende der 1860er-Jahre innerhalb des traditionsreichen Familienunternehmens eine immer wichtigere Rolle zu spielen begann, wurde Giulio Ricordi zu einem wichtigen Ansprechpartner Verdis. Dass der Komponist den deutlich Jüngeren offenbar sehr schätzte, wird auch dadurch deutlich, dass er ihn mehr und mehr mit der Organisation rund um Uraufführungen und Neuinszenierungen betraute.

Die Vorbereitungen zur Mailänder Premiere waren im Grunde parallel mit denen zur Uraufführung in Kairo angestoßen und vorangetrieben worden. Verdi erwies sich dabei in vielen Dingen als entscheidender Impulsgeber. So platzierte er rechtzeitig seine Wünsche bezüglich des Chores und des Orchesters, außerdem sollte höchste Sorgfalt auf die Herstellung der Sonderinstrumente – vor allem der nachmals so berühmten Aida-Trompeten – gelegt werden. Auch kam es Verdi darauf an, das Orchester so aufzustellen, dass es klanglich in der bestmöglichen Weise zur Geltung kam: Bei einem an Klangfarben so reichen Werk wie *Aida* war ihm dieser Punkt offenbar von besonderer Wichtigkeit.

Beizeiten suchte sich Verdi auch die Dienste des Dirigenten Franco Faccio zu sichern. Als vormaliger Assistent von Angelo Mariani hatte er mit Verdi und seiner Musik schon mehrfach zu tun gehabt und seine Fähigkeiten unter Beweis gestellt. Faccio sollte in der Folgezeit zu Verdis bevorzugtem Dirigenten werden, der u. a. die Premieren der Neufassung von *Simon Boccanegra* (1881), der italienischen Version von *Don Carlo* (1884) und – als Höhepunkt seiner Laufbahn – von *Otello* (1887) leitete.

Für die Aufführung an der Scala konnte Verdi auf Sängerinnen und Sänger bauen, die zu den führenden Künstlern ihres Faches gehörten. Im Zentrum stand die Primadonna Teresa (Teresina) Stolz, deren außergewöhnliche gesangliche wie darstellerische Fähigkeiten Verdi bei der Ausgestaltung der Titelpartie im Kopf gehabt haben dürfte. Als Amneris war die junge österreichische Mezzosopranistin Maria Waldmann verpflichtet worden, die Verdi zunächst für zu unerfahren hielt, um auf der Riesenbühne der Mailänder Scala bestehen zu können, die den Komponisten aber schließlich von sich überzeugen konnte. Den Radames sang der Tenor Giuseppe Fancelli, während als Amonasro und Ramfis der Bariton Francesco Pandolfini bzw. der Bassist Ormondo Maini in Aktion traten.

Wie kaum anders zu erwarten, war das Interesse an dieser Premiere immens. Die Anwesenden spürten, einem denkwürdigen Ereignis beizuwohnen. Die euphorische Stimmung entlud sich in nicht enden wollenden Beifallsbekundungen für Verdi. Nach dem 2. Akt wurde ihm als Zeichen höchster Wertschätzung ein edelsteinverzierter Stab sowie eine Schriftrolle aus Pergament überreicht.

Verdi muss diesen überwältigenden Erfolg genossen haben, auch wenn gewiss nicht alles zur vollsten Zufriedenheit verlief. Ein Brief an seinen langjährigen Freund, den italienischen Literaten Opprandino Arrivabene, macht dies deutlich: »Letzte Nacht Aida war ausgezeichnet; die Ausführung der Ensembles und der Einzelpartien war sehr gut; die Regie ebenso. Die Stolz und Pandolfini, exzellent. Die Waldmann, gut. Fancelli, eine herrliche Stimme und sonst nichts. Die anderen gut, das Orchester und der Chor hervorragend. Was die Musik betrifft, wird Dir Piroli noch darüber berichten. Das Publikum reagierte zustimmend. Ich will vor Dir keine Bescheidenheit heucheln, aber diese Oper ist sicherlich nicht eine meiner schlechtesten. Die Zeit wird ihr später den Platz zuweisen, den sie verdient.«

Dass die Kritik nicht uneingeschränkt den Enthusiasmus des Mailänder Publikums teilte, war sekundär. Der Vorwurf an Verdi, bei allem Reiz im Szenischen und aller Schönheit im Klanglichen im Großen und Ganzen doch zu konventionell komponiert zu haben, war recht und billig – dem »Image« des Werkes als eines Erfolgsstückes, das seinen Weg auf den Opernbühnen Italiens und der Welt schon machen werde, konnten derartige Einwände nicht schaden.

Italien und die Welt

Und in der Tat trat *Aida* sofort im Anschluss an die Scala-Premiere einen wahren Siegeszug an. Bei den rasch aufeinanderfolgenden Aufführungen diverser italienischer Bühnen war Verdi sogar mehrfach als Dirigent beteiligt, so etwa am 20. April 1872 im Teatro Regio in Parma oder am 30. März 1873 im berühmten Teatro San Carlo in Neapel. In diesen Jahren wurde die Oper – oft unter Beteiligung von Solisten der Mailänder Aufführung – in Padua, Ancona und Triest gegeben: Zumindest in Verdis Heimat hatte sich *Aida* damit durchgesetzt. Im Herbst 1873 folgte der Schritt in die Neue Welt: Mit Aufführungen in Buenos Aires und New York und Philadelphia hatte das Werk in Süd- wie in Nordamerika Fuß gefasst. An der Metropolitan Opera avancierte *Aida* in den kommenden Jahren und Jahrzehnten gar zum meistgespielten Stück überhaupt, das man in effektvoller, pompöser Ausstattung und mit glänzenden Sängerbesetzungen auf die Bühne brachte.

Verdi selbst war zu dieser Zeit verstärkt mit Projekten außerhalb der Oper beschäftigt. Im Frühjahr 1873 entstand mit dem Streichquartett sein umfangreichstes und anspruchsvollstes Kammermusikwerk. Mit *Aida* hat es insofern zu tun, als dass es im direkten Umkreis der Proben zur Premiere in Neapel geschrieben wurde, innerhalb einer Zwangspause, die durch die Erkrankung von Teresa Stolz bedingt war. Zudem komponierte Verdi seine *Messa da Requiem*, in die so manche Erfahrungen, die er mit *Aida* gewonnen hatte, einflossen. Mit dieser im Mai 1874 erstmals aufgeführten Totenmesse, die große Resonanz hervorrief, war Verdi als Dirigent häufig unterwegs – wie *Aida* wurde auch dieses Werk europaweit gefeiert und als neuer Höhepunkt seines Œuvres angesehen.
Wenige Wochen vor der Uraufführung des Requiems wurde *Aida* an der Berliner Hofoper präsentiert, im April 1874 war Verdis Meisterwerk zum ersten Mal auch in Wien zu sehen – hier wie dort in deutscher Sprache, nachdem alle Bühnen zuvor das italienische Original gegeben hatten. Aufführungen in Chicago, Boston, Madrid, Florenz, Turin, Rom, Budapest, Warschau, Prag, St. Petersburg, Moskau, Kiew und in verschiedenen deutschen Städten (etwa Karlsruhe, Stuttgart, Hamburg, Leipzig oder Dresden) bezeugen die immer weiter wachsende Resonanz. Im Juni 1875 kam der Komponist eigens in die Donaumetropole, um *Aida* an der dortigen Hofoper zu dirigieren – der Applaus des Publikums sprach für sich. 1876 folgten die ersten Aufführungen in Westeuropa, in London und Paris. In der französischen Hauptstadt wurde *Aida* zunächst am Théâtre-Italien gegeben (im April 1876), erst knapp vier Jahre später, Ende März 1880, dann an der renommierteren Opéra. Die Verantwortlichen hatten sich dabei für eine Aufführung in französischer Sprache entschieden. Dass auch diese Darbietung zu einem großen Erfolg wurde, dürfte Verdi mit Genugtuung registriert haben, da er an der Opéra auch schon andere Reaktionen auf seine Werke erlebt hatte, u. a. eine ausgesprochen kühle Aufnahme seines fünfaktigen *Don Carlos* von 1867.

Beeindruckende Aida: Jeanne Gordon in einer Inszenierung an der Metropolitan Opera New York 1924.

Mit *Aida* und der *Messa da Requiem* befand sich Verdi auf dem vorläufigen Höhepunkt seines Ruhms. Er war sich durchaus bewusst, mit diesen Werken – und den zuvor entstandenen großen Opern *La forza del destino* und *Don Carlos* – eine neue Qualitätsstufe seines künstlerischen Schaffens erreicht zu haben. In engem Zusammenhang damit steht auch sein Bemühen, sich intensiv in den Prozess der musikalischen wie szenischen Einstudierung einzubringen und die Partitur nicht einfach den Impresarios, Dirigenten, Sängern und Ausstattern zu überlassen: So weit es ihm irgend möglich war, versuchte Verdi, die Kontrolle über sein Werk zu behalten.

Verdi ging gar so weit, ein Aufführungsverbot für alle Bühnen durchsetzen zu wollen, die den hohen aufführungspraktischen Ansprüchen des Werkes nicht gerecht werden konnten. Gewiss ist dies nicht als bloße Laune eines hypersensiblen Künstlers zu verstehen, sondern vielmehr als Ausdruck der Sorge um seine Oper, die er vor mutwilligen wie unabsichtlichen Entstellungen schützen wollte. Geschehen sollte dies mittels eines Leitfadens, der eine Vielzahl an musikalischen wie szenischen Anweisungen enthielt. Alles, auch die unscheinbarsten Details, waren ihm wichtig und wurden in der *Disposizione scenica* fixiert – einer Art Inszenierungsbuch, in dem Verdi sowohl seine grundlegenden Intentionen als auch theaterpraktische Hinweise niederlegte.

Das Ideal vollkommener Kontrolle war jedoch eine Illusion und weder wünschenswert noch durchsetzbar, zumal vor dem Hintergrund der weltweiten – und für Verdi ja auch sehr profitablen – *Aida*-Begeisterung. Die zahlreichen Aufführungen an vielen Häusern auf mehreren Kontinenten (allein bis 1880 hatte es Premieren auf über 100 Bühnen gegeben) waren jedenfalls untrügliche Zeichen einer rasch wachsenden Popularität. Verdi dürfte diese Entwicklung insgesamt durchaus positiv gesehen haben – als wohltuende Bestätigung für die Tatsache, dass er als Opernkomponist in der Welt etwas galt.

Das alte Ägypten und andere Szenerien: »Aida« auf der Bühne

Die Inszenierungsgeschichte von *Aida* ist kaum geradlinig zu nennen. Für ein Werk, das wie kaum ein anderes vom ersten Moment an mit einer fest umrissenen szenischen Konzeption verbunden war, stellte sich die Frage nach einer adäquaten Darstellung auf der Bühne in besonderem Maße. Gemäß dem Ort und der Zeit der Handlung sollte das gesamte szenische Ambiente (die Bühnenbilder, Kostüme und Requisiten) nach altägyptischem Stil gestaltet sein. Von vornherein waren damit den Ausstattern (und letztlich allen am Produktionsprozess einer neuen Inszenierung

Beteiligten) normative Vorschriften an die Hand gegeben, gewissermaßen sogar Zügel angelegt.

Für den überwiegenden Teil der Aufführungen, die seit der Uraufführung 1871 weltweit initiiert worden sind, dürften diese Leitlinien bindend gewesen sein: Das altägyptische Dekor wurde in den meisten Fällen als konstitutives Element des Werkes angesehen, sodass es schwer fiel, sich davon zu emanzipieren. Die fest gefügten Erwartungshaltungen des Publikums taten ein Übriges, dass *Aida* vorerst nicht aus dem Korsett strenger szenischer Vorgaben befreit werden konnte. Im Grunde ist es erst ab den 1960er-Jahren wirklich gelungen, grundlegend neue Lösungen zu entwickeln und alternative Deutungsmöglichkeiten aufzuzeigen.

In einer Reihe von Fallbeispielen sollen exemplarisch einige prominente *Aida*-Inszenierungen charakterisiert werden – selbstredend ohne Anspruch auf Vollständigkeit, dafür aber mit der Intention, das Spannungsfeld der Annäherungen zwischen historischer Treue (in Bezug auf die Maßgaben der ersten Aufführungen) und freien Interpretationen der Partitur mitsamt den szenischen Anweisungen auszuloten. Es zeigt sich, dass *Aida* wie kaum ein anderes Werk des Opernrepertoires von Konventionen geprägt (nicht selten sogar regelrecht belastet) ist, was jegliche Annäherung vonseiten der Regisseure zu einem Wagnis macht: Stets schwingt – zumindest implizit – ein Bild des alten Ägypten mit. Inszenierungen von *Aida* sind nachgerade darauf verwiesen, sich mit der Welt der Pharaonen, der Tempel und Pyramiden, der alten Riten und Gewänder ins Verhältnis zu setzen, sei es nun affirmativ oder negierend.

Im Geist der Tradition

Die zahlreichen Aufführungen von *Aida*, die an verschiedenen Orten zu Verdis Lebzeiten stattfanden und häufig seinen persönlichen Stempel trugen, besaßen naturgemäß eine Vorbildfunktion für nachfolgende Produktionen. Sowohl Theaterdirektoren und Ausstatter als auch Dirigenten und Sänger konnten sich unmittelbar auf Verdi beziehen – man wird es ihnen kaum verdenken können, dass sie sich in hohem Maße an den überlieferten Ideen und erklärten Absichten des Komponisten orientierten, auch weil damit der vielbeschworene »Geist Verdis« so nahe wie nur irgend möglich erschien.

Sucht man nach Inszenierungen des frühen wie des fortgeschrittenen 20. Jahrhunderts, welche die von Verdi und Mariette gegebenen Impulse aufgenommen haben, gerät rasch eine Produktion in das Blickfeld, die mit Recht als spektakulär bezeichnet werden kann. Als 1913, anlässlich von Verdis 100. Geburtstag, die Arena di Verona als Opernspielstätte eingeweiht wurde, fiel die Wahl des Eröffnungsstücks wohl keineswegs zufällig auf *Aida*. Der Tenor und Musikmanager Giovanni Zenatello, auf dessen Initiative das Festival in dem mehr als 20.000 Besucher fassenden Amphitheater geplant und durchgeführt worden war, konnte mit *Aida* dem Publikum so einiges bieten: Verdis eindrucksvolle Musik und schöne Stimmen ebenso wie szenische Effekte, die auf gewöhnlichen Opernbühnen nicht möglich waren. Mit dem Entschluss, das Bühnenbild und die Kostüme ähnlich denen der Kairoer Uraufführung zu gestalten (auch wenn das Riesenrund in Verona vollkommen andere räumliche Dimensionen besaß als der eher kleine Theaterbau am Nil), gab man der Produktion den Anschein von Authentizität. Pompöse Massenszenen – unter Einbezug eines außerordentlich groß besetzten Chores und einer Heerschar an Statisten – waren in die Aufführung integriert; das alte Ägypten wurde mittels eines verschwenderisch wirkenden Kostüm- und Dekorationstheaters in Szene gesetzt.

Der für die Produktion verpflichtete Regisseur Ettore Fagiuoli versuchte, sich möglichst genau an die von der Premiere in Kairo bekannten Ausstattungselemente anzulehnen. 1920 überarbeitete er seine Inszenierung noch einmal, 1982 griff man erneut auf sie zurück: Indem sowohl die Entwürfe von Mariette als auch die Skizzen von Fagiuoli als Muster genommen wurden, entschied man sich bewusst für eine Aufführungsweise, die in der Tradition des 19. Jahrhunderts stand.

Erst 2002 ist diese Produktion durch eine Neuinszenierung von Franco Zeffirelli, einem der stilbildenden italienischen Regisseure, ersetzt worden. Zeffirelli war auch verantwortlich für eine wirkungsmächtige szenische Umsetzung an der Mailänder Scala, an der man Verdis *Aida* seit jeher als eine Art »Nationalheiligtum« betrachtet. 1963 ging Zeffirellis vornehmlich illustrativ angelegte Regiearbeit erstmals

Plakat zur Erstaufführung von »Aida« in der Arena di Verona 1913.

in Szene; mehrfach wurde die Produktion seitdem wieder aufgenommen, letztmals 2006. Gut vier Jahrzehnte zuvor sorgte sie sowohl mit einer glänzenden Sängerbesetzung (u.a. mit Leontyne Price, Fiorenza Cossotto und Carlo Bergonzi) als auch mit sehenswerten Bühnenbildern und Kostümen (nach Entwürfen von Lila De Nobili) für Furore. Ähnlich wie in Verona setzte man auch an der Scala den Akzent auf ein prächtiges, auf Monumentalität bedachtes und die Schaulust des Publikums bedienendes Bühnenspektakel, bei dessen Optik man sich direkt auf die Quellen berufen konnte: Mariette und Verdi waren und blieben die unverzichtbaren Bezugspunkte, denen man geradezu blind vertraute.

Ganz in dieser Tradition steht auch eine Aufführung der Salzburger Festspiele von 1979. Herbert von Karajan hatte im Verbund mit seinem Bühnenbildner Günther Schneider-Siemssen Verdis Oper in aller Opulenz arrangiert: Von »Inszenierung« im eigentlichen Sinne getrauten sich auch wohlwollende Kritiker kaum zu sprechen. *Aida* wurde vor einer monumentalen Breitwandkulisse in Szene gesetzt, mit üppiger Ausstattung, jedoch ohne den Versuch, den Figuren psychologische Tiefenschärfe zu geben. Dafür bot man – Karajan garantierte dies – einen nie erlebten Wohlklang und sängerischen Glanz, u.a. mit Mirella Freni, dem jungen José Carreras, Piero Cappuccilli und Ruggiero Raimondi. Extrachöre und Unmengen an Statisten ließen die durchchoreografierten Massenaufmärsche zu spektakulären Aktionen werden, ohne aber im eigentlichen Sinne eine Deutung der Vorgänge offenzulegen.

Ästhetische Neuansätze

Insbesondere die in jüngerer Zeit vorgenommenen Wiederaufnahmen ließen die Differenzen zwischen einer traditionell angelegten Inszenierung à la Zeffirelli und den teils vorsichtigen, teils radikalen Neudeutungen vornehmlich an Häusern aus dem deutschsprachigen Raum zutage treten. Eine Produktion, die über viele Jahre lief und eine spürbare Umorientierung in der Rezeption von *Aida* bedeutete, erlebte während der Eröffnungswoche der Deutschen Oper Berlin im Oktober 1961 ihre Premiere. Wieland Wagner, der maßgeblich die Ästhetik von »Neubayreuth« geprägt hatte, war als Regisseur verpflichtet worden, Karl Böhm stand am Pult des Orchesters, herausragende Sänger wie Gloria Davy, Christa Ludwig, Jess Thomas und Walter Berry waren die Protagonisten. Wieland Wagner siedelte die Handlung bewusst in Afrika an, auf dem Schwarzen Kontinent mit seiner geheimnisvollen Exotik, die bei den zivilisierten Europäern nicht selten Befremden, gar Angst auslöste. Dass Aida in Verdis Oper eine äthiopische Prinzessin ist und somit aus der weitgehend unerforschten Gegend nilaufwärts stammt, wo Schwarzafrika beginnt, wurde in Wagners Inszenierung deutlich gezeigt. Sämtliche Szenen und Schauplätze waren Dunkelheit, nicht selten sogar in tiefste Nachtschwärze getaucht; die religiösen Zeremonien wurden als strenge archaische Rituale gekennzeichnet, in die noch kein Licht eingedrungen war. Bezeichnenderweise verzichtete Wagner auch bei den Triumphszenen auf übertriebene Helligkeit – mit spürbaren Auswirkungen auf den Charakter der Musik.

Zwei Jahrzehnte später ging eine *Aida* in Szene, die sicher zu den streitbarsten, aber auch interessantesten Produktionen dieses Werkes gehörte. Hans Neuenfels' Inszenierung am Opernhaus in Frankfurt am Main 1981 hat der Beschäftigung mit und der Diskussion über *Aida* zweifellos eine neue Richtung und neue Impulse gegeben. Neuenfels brach – unter-

Aida als Putzfrau

»Aida als Putzfrau«: Dieses Etikett hängt der vieldiskutierten Produktion von Verdis Oper, die 1981 an der Oper Frankfurt herauskam, wohl für immer an. Inszeniert hat sie Hans Neuenfels, der 1941 in Krefeld geborene Opern- und Schauspielregisseur, der seit Jahrzehnten mit seinen Arbeiten für Aufmerksamkeit sorgt – sei es nun in Gestalt von veritablen Skandalen oder indem anerkannt wird, dass er durch seine unkonventionellen Deutungen bislang verborgene Schichten der Werke freizulegen imstande ist. Die Opern des großen Repertoires radikal zu hinterfragen, ihnen im wahrsten Sinne des Worte auf den Grund zu gehen, zeichnet sein Vorgehen aus, ein bewusstes Schwimmen gegen den Strom ebenfalls.

Bei der Frankfurter *Aida*, die er aus dem gewohnten Ambiente herausholte und von allen Klischees befreite, konnte er sich auf kongeniale Mitstreiter stützen: auf seinen Produktionsdramaturgen Klaus Zehelein, den Bühnenbilder Erich Wonder und den Dirigenten Michael Gielen. Heraus kam eine *Aida*, die verstörte und zugleich wachrüttelte, die deutlich machte, welch großer gesellschaftspolitischer Sprengstoff in Verdis Oper doch enthalten ist, da Figuren auf die Bühne gebracht wurden, die zu den Erniedrigten und Beleidigten gehörten. Sie sind es, die den autoritär Herrschenden einen Spiegel vorhalten, indem sie durch ihre gesamte Existenzweise und ihr Handeln tiefgreifende soziale Unterschiede aufzeigen – und zuweilen auch die Kraft finden, gegen bedrückende Ungerechtigkeiten aufzubegehren.

stützt von dem prinzipiell gleichgesinnten Dirigenten Michael Gielen – so strikt wie noch niemand zuvor mit den gängigen Aufführungstraditionen, wie sie sich im Laufe einer mittlerweile mehr als einhundertjährigen Geschichte herausgebildet hatten. Nicht das alte Ägypten ist der Spielort, sondern das 20. Jahrhundert, mitten in Europa. Statt der Pharaonenpaläste und Tempelanlagen sind es kleine, allenfalls mittelgroße Säle, in denen die Konflikte zwischen den Figuren ausgetragen werden.

Worum es Neuenfels in erster Linie ging, war das Aufzeigen von Gegenwartsbezügen. Verdi selbst – davon war Neuenfels überzeugt – wollte keineswegs nur eine konventionelle Dreiecksgeschichte im altägyptischen Dekor auf die Bühne bringen, sondern die drängenden politischen und gesellschaftlichen Problemlagen seiner Zeit zur Erscheinung bringen. Folgerichtig spielten Krieg (von dem die Arbeit an *Aida* ja ganz direkt betroffen war) und Kirche (in Gestalt einer auf sämtliche Lebensbereiche und den Staat Einfluss nehmenden Priesterkaste) eine wesentliche Rolle. Wenn man sich Verdis bekanntermaßen sehr kritische Einstellung zur katholischen Amtskirche vergegenwärtigt, wird man sich über die wenig schmeichelhafte Darstellung des Oberpriesters Ramfis und seiner Gefolgsleute kaum wundern. Das alte Ägypten in der Lesart von Neuenfels wird jedenfalls als Unterdrückungsstaat gezeichnet, dem nicht zu entfliehen ist und der keinerlei freie Entfaltung der Individuen zulässt. Szenisch ist indes alles, was an die Pharaonenzeit erinnern könnte, verschwunden. Stattdessen ist das Bühnengeschehen soweit aktualisiert worden, dass sowohl die Räume als auch die in ihnen handelnden Personen unverkennbar Züge des Hier und Jetzt tragen.

Einen Gegenpol zu einer in den 1980er-Jahren immer noch aktuellen Orientierung in Richtung des Monumentalen, Dekorativen und Kulinarischen markierten zwei Inszenierungen, die einige Fäden der Frankfurter Neuenfels-Produktion wieder aufnahmen, jedoch auf eigenen Konzepten basierten und teils radikalere Lösungen boten. 1989 war am Aalto-Theater Essen eine *Aida* in der Regie von Dietrich Hilsdorf erstmals in Szene gegangen. Hier wird buchstäblich hinter die Fassade geschaut, hinter den Ägyptenkult mit seiner prachtvollen Kulisse. Die dunklen Seiten der Handlung werden beschworen, vor allem die Schrecken von Krieg und Unterdrückung. Der Triumphzug etwa ist ein einziges Bild der Grausamkeiten, die das eine Volk (die Ägypter) dem anderen (den Äthiopiern) antut. Das Volk jubelt dazu von den Rängen, die siegreichen Herrscher gefallen sich in gottgleicher Pose. Die mit Furor ausbrechende

Sängerischer Glanz im altägyptischen Dekor: Marilyn Horne als Amneris in der Inszenierung der Salzburger Festspiele 1979.

Gewalt aber zeigt ihr hässliches Antlitz, für wirklich humane Regungen scheint kein Platz mehr zu sein. Bei der Premiere noch ein Skandal, heute ein »Klassiker« des sogenannten Regietheaters: Hilsdorfs Deutung von *Aida* ist auch nach über zwei Jahrzehnten im Essener Repertoire präsent.

Eine weitere vieldiskutierte Inszenierung stammt von Peter Konwitschny, der Verdis Oper im November 1994 am Theater in Graz ganz auf die dem Werk immanenten Kammerspiel-Aspekte hin ausgerichtet hat. Die tragische Dreiecksgeschichte der drei Hauptfiguren vollzieht sich in einem Zimmer von bedrückender Enge, das nur selten geöffnet wird und den Blick auf das äußere Geschehen freigibt. Chor und Statisten sind komplett aus diesem Bühnenraum verbannt, auch das Finale des 2. Aktes mit dem pompös-martialischen Triumphmarsch spielt sich im »Draußen« ab – das Publikum nahm die Musik somit nicht direkt wahr, sondern wie durch einen Schleier, zuweilen aber auch bei eingeschaltetem Saallicht plakativ per Lautsprecher abgestrahlt. Die Irritationen vonseiten der Besucher waren, wie nicht anders zu erwarten, groß, da kaum mehr ein vertrautes Element vorhanden war, an dem man sich buchstäblich festhalten konnte. Als gegen Schluss dann durch die Öffnung der Hinterbühne die am Opernhaus entlang führende Straße in das Blickfeld der Zuschauer geriet, die alltägliche Lebenswelt plötzlich in den Illusionsraum Theater einbrach, war ein weiteres Tabu gebrochen.

Einen weniger radikalen Ansatz verfolgte ein Jahr später Pet Halmen an der Berliner Staatsoper Unter den Linden. Die Produktion vom Mai 1995, für die Halmen als Regisseur, Bühnenbildner und Ausstatter in Personalunion verantwortlich zeichnete, legte er als eine Art Traumspiel an: Im Ägyptischen Museum zu Kairo zur Zeit des späten 19. Jahrhunderts erwachen die Exponate zum Leben. Alles das spielt sich in der Phantasie eines Blinden ab, der zunächst als Verdi erkennbar ist, dann jedoch zu Radames wird. Die Statuen im Museum verwandeln sich zu den Figuren des Dramas, der Raum wird abwechselnd zum königlichen Palast, zum Inneren eines Tempels, zur Säulenlandschaft am Nil oder auch zur Arena für die Triumphszene. Eine solche Konzeption ermöglichte es Halmen, altägyptisches Dekor einzubeziehen, ohne indes die Handlung selbst in der Pharaonenzeit verorten zu müssen. Am Schluss sind sämtliche Dinge wieder an ihren angestammten Plätzen, der unwirklich erscheinende, geradezu spukhafte Traum ist vorbei. Verdi, der kurz zuvor als Radames noch Teil des Geschehens war, weiß nicht recht, was er soeben erlebt hat.

Theatergegenwart

Einige Inszenierungen aus jüngster Zeit mögen zeigen, dass die Auseinandersetzung mit *Aida* keineswegs unproduktiv geworden ist. Der britische Regisseur Graham Vick setzte Verdis Oper im Sommer 2009 bei den Bregenzer Festspielen vor 7.000 Zuschauern in Szene. Das Bühnenbild von Paul Brown war dabei direkt in den Bodensee gebaut worden – was zur Folge hatte, dass das Seewasser selbst zum Spielelement wurde. Vick inszenierte *Aida* als Antikriegsstück, mit teils ein wenig plakativ anmutenden Aktualisierungen: So war etwa die zerborstene Freiheitsstatue im Wasser zu sehen, zudem traten Gefangene in orangefarbenen Anzügen auf, die nur zu deutlich an Guantánamo erinnerten. Herausgearbeitet wurden vor allem die sozialen Unterschiede der handelnden Figuren und Gruppen: Die Dichotomie von Herren und Knechten (bzw. von Siegern und Besiegten) gewann Kontur. In dieser Umgebung – und auch das zeigte die Inszenierung – kann die Liebe zwischen zwei Menschen aus unterschiedlichen Kulturen wahrlich nicht gedeihen, muss geradezu zwangsläufig tragisch enden. Vick bezog große Tableaus (die im Grunde unverzichtbar für Freiluftaufführungen jeglicher Art sind) mit ein, zugleich verzichtete er jedoch auf prunkvolle Massenaufläufe und Ausstattungsorgien, wie sie vielen Inszenierungen auf raumgreifenden Open-Air-Bühnen eigen ist. Immer wieder schuf er mittels einer sorgfältigen Personenregie Platz für intime, kammerspielartige Sequenzen – seine *Aida* setzte keineswegs nur auf Monumentalität, sondern betonte auch die gegenläufigen Seiten des Werkes.

Vornehmlich auf das Handeln und die inneren Zustände der Figuren konzentriert sich auch die Inszenierung von Christof Nel an der Bayerischen Staatsoper München, die nahezu zeitgleich mit der Bregenzer Produktion im Juni 2009 der Öffentlichkeit vorgestellt wurde. Zumindest bei den Kostümen gab es dabei manche Anlehnungen an die Kultur des alten Ägypten: Der Eindruck, dass man sich in einer permanent von Kriegen überzogenen Welt der Könige und Priester, des ägyptischen Volks und der äthiopischen Sklaven befindet, wurde über entsprechende Stilisierungen hergestellt. Die Gestaltung des Bühnenbilds war hingegen einer anderen Ästhetik verpflichtet: In einer weitgehend nüchternen, archaischen Umgebung (u.a. inmitten bedrohlich aufragender Betonwände) spielte sich das Drama ab. Der sich öffnende Hintergrund wurde wiederholt für große Schaubilder (vor allem für Balletteinlagen) genutzt, die eindrucksvolle Schlussszene fand indes auf leerer Bühne statt – eine Tendenz zur Abstraktion war unverkennbar. Nels Münchner *Aida*-Deutung wird man

kaum als traditionelle Inszenierung des Werkes begreifen können, ein radikales »Hineinzerren« ins Heute ist sie indes auch nicht.

Die Flexibilität des Bühnenraums war auch bei der Hamburger *Aida*-Premiere vom Mai 2010 ein hervorstechendes Merkmal. Der Niederländer Guy Joosten inszenierte im Bühnenbild von Johannes Leiacker eine große Partygesellschaft, in deren Verlauf die Protagonisten immer mehr aneinandergeraten: Das Private wird hier zum Öffentlichen, Statusunterschiede treten hervor, die Beziehungen zwischen den Personen werden ins grelle Licht gezogen, um von der Menge kommentiert zu werden. Joosten setzte – ohne jegliche Anklänge an ägyptisches Dekor – ein Spiel im Hier und Jetzt in Gang, das die Nöte und Zwänge junger Menschen, die in den Vergnügungstempeln der Großstädte ihr Glück suchen, eindringlich reflektiert.

Nach München und Hamburg widmete sich auch die Oper Köln Verdis *Aida*. Im Januar 2011 ging eine neue Produktion in der Regie von Johannes Erath in Szene, die ebenfalls auf einer Ansiedlung im ägyptischen Ambiente verzichtete. Stattdessen wurde das Geschehen in katholischen Kontexten verortet: Der Pharao und Oberpriester wurden zu Papst und Kardinal umgedeutet, christliche Symbole und Requisiten beherrschten den Bühnenraum – und die Kostüme von Christian Lacroix sorgten für besondere Reize. Die bekannte Skepsis gegenüber der offiziellen Amtskirche, die Verdi

Bühnenbildentwurf für die Inszenierung von Luca Ronconi an der Mailänder Scala 1985.

wiederholt artikuliert hatte, wurde von Erath als Ansatzpunkt genommen, *Aida* im christlichen Europa des Mittelalters bzw. der frühen Neuzeit spielen zu lassen, auch wenn eine wirklich bruchlose Übertragung der Figuren und der Handlung in diese Sphäre im Grunde nicht möglich ist.

Die Inszenierungsgeschichte beruht gewiss zu einem wesentlichen Teil auf einer konkret fassbaren, allseits vertrauten Optik. Aber auch davon abweichende, keineswegs immer bis ins Detail »werktreue« szenische Umsetzungen können durchaus in dieser Tradition stehen. Und nicht zuletzt besteht die Möglichkeit, dass unser mehr oder weniger fest gefügtes Bild von *Aida* jedes Mal neue Facetten erhält, wenn eine originelle, künstlerisch überzeugende Produktion auf die Bühne gebracht wird.

Orchester, Chor, Solisten: Aspekte der Aufführungspraxis

Verdis *Aida* auf einem hohen Niveau zu präsentieren, bedeutet eine Herausforderung für jedes Opernhaus. Der gesamte Apparat muss in Bewegung gesetzt werden, vornehmlich im Gran Finale, wo buchstäblich alles aufgeboten ist, was an Sängern und Instrumentalisten zur Verfügung steht. Auf die mit der szenischen Gestaltung befassten Abteilungen warten ebenso anspruchsvolle Aufgaben wie auf alle diejenigen, die im engeren Sinne mit der Musik zu tun haben.

Der autoritäre Komponist

Verdi selbst hat hier Richtlinien vorgegeben, die er bei der Aufführung seiner *Aida* beachtet wissen wollte. So detailliert er die allgemeine Optik und das konkrete Bühnengeschehen mithilfe seiner 1876 im Verlag von Giulio Ricordi veröffentlichten *Disposizione scenica* mit zahlreichen verbalen wie grafischen Anweisungen zu bestimmen suchte, so sehr lag ihm auch eine möglichst bruchlose Umsetzung seiner musikalischen Ideen am Herzen. Seine Autorität als Komponist sollte sich auch auf die konkreten aufführungspraktischen Belange erstrecken.

Die Briefe, die Verdi in Vorbereitung der Uraufführung sowie der Mailänder Erstaufführung schrieb und an die Verantwortlichen vor Ort sandte, lassen keinen Zweifel an der Ernsthaftigkeit seiner Bemühungen aufkommen, *Aida* in der bestmöglichen Qualität zu bieten. Eine »wahrhaft künstlerische Aufführung« zustande zu bringen, war sein oberstes Gebot, auch wenn er damit den Theaterbetrieb bisweilen an die Grenze seiner Leistungsfähigkeit brachte.

Vor allem ein vom 10. Juli 1871 datiertes Schreiben an Giulio Ricordi, der die Angelegenheiten an der Mailänder Scala in seinem Sinne regeln sollte, gibt erhellende Einblicke in Verdis Detailversessenheit hinsichtlich aller Dinge, die mit dem musikalischen Apparat zu tun haben. So möchte er wissen, ob neben der Verpflichtung des Dirigenten und des Chorleiters auch das Orchester nach seinen Wünschen zusammengesetzt sei. Zudem geht es ihm um die richtige Stimmung, damit Intonationstrübungen möglichst vermieden werden, darüber hinaus auch um die Verwendung besonders klangstarker Instrumente, die durchschlagskräftig genug sind, um auch bei groß besetzten Passagen die gewünschten Wirkungen zu erzielen.

»Ägyptische Klänge«

Was Verdi darüber hinaus im Musikalischen erreichen wollte, war – analog zu den szenischen Vorgaben – ein ägyptisches Kolorit. Zum einen betraf das den Einbezug bestimmter melodischer und harmonischer Wendungen, die »orientalisch« klingen sollten (Verdi hat sich hierbei auf die zwar anregende, aber wissenschaftlich nur wenig verlässliche *Histoire générale de la musique depuis les temps anciens jusqu'à nos jours* des belgischen Musikforschers François-Joseph Fétis gestützt), zum anderen die Verwendung spezieller Instrumente.

Auf die Idee, besondere Trompeten einzusetzen, die aufgrund ihrer eigentümlichen Bauart ein außergewöhnliches Klangbild erzeugen sollten, schien er schon sehr bald gekommen zu sein – und in der Tat sorgen die seither folgerichtig als »Aida-Trompeten« bezeichneten Instrumente nicht nur für optische Reize, sondern auch für klangliche Effekte, die mit herkömmlichen Bläsern wohl kaum hätten erzielt werden können. Bei der Konstruktion dieser Trompeten berief sich Verdi auf seine Studien, die er im Zuge der Arbeit an *Aida* betrieben hatte: Durch sie hatte er erfahren, dass die alten Ägypter offenbar über Blasinstrumente verfügten, die nach dem Zeugnis des Plutarch wie Eselsrufe schallten und von einer durchdringenden Klanggewalt waren. Laut der antiken Quellen wurden sie in der Militärmusik ebenso eingesetzt wie bei religiösen Zeremonien. In den Sammlungen im Louvre fand man ein solches – allerdings wohl nicht authentisches – Instrument, in dem Verdi ein mögliches Vorbild sah. Jedenfalls beauftragte er den Mailänder Instrumentenbauer Giuseppe Pelitti, ihm in Anlehnung an dieses Instrument »sechs Trompeten nach altägyptischer Form, wie sie jetzt nicht mehr gebräuchlich sind« zu fabrizieren. Ein sonderlich sonorer Ton ließ sich mit ihnen jedoch nicht erzielen, weshalb nach weiteren Lösungen gesucht wurde, damit die gewünschte Musik à l'égyptienne auch zustande kam. Als vorteilhaft erwies sich hierbei eine Konstruktion von Adolphe Sax (dem Erfinder des Saxofons), der zur Pariser *Aida*-Premiere von 1880 Trompeten in gerader Bauart verfertigt hatte. Mit ihrer Länge von ca. 1,20 Metern waren sie deutlich größer als das erhaltene alte Instrument aus dem Louvre (das lediglich ca. 50 cm maß) und die von Pelitti hergestellten Trompeten; auch besaßen sie Ventile, um die verschiedenen Stimmungen in As und H problemlos realisieren zu können.

Darüber hinaus dachte Verdi auch an den Einsatz einer »großen Flöte« in As, die in den mittleren und tiefen Lagen über ein besonderes Timbre und eine größere Klangstärke verfügen sollte. Im Zuge seiner Recherchen stieß er auf einen Hinweis, dass im Ägyptischen Museum in Florenz ein entsprechendes antikes Instrument ausgestellt wäre – bei näherem Hinsehen erwies es sich jedoch als eine einfache Schäferflöte. Dennoch verfolgte Verdi weiterhin den Plan, eine spezielle Flöte produzieren zu lassen, die bei bestimmten Szenen (wie etwa beim Tempeltanz oder im letzten Finale) im Zusammenspiel mit orientalisch anmutenden Melodien Klang- und Ausdrucksmomente erzeugen könne – ein solches Instrument kam schließlich auch zum Einsatz.

Das verborgene Orchester

Wichtig war Verdi aber vor allem die Platzierung des Orchesters. Im Sinne einer optimalen Balance zwischen den einzelnen Instrumenten und einer guten Mischung der Klangfarben drängte Verdi darauf, das Orchester in anderer Weise aufzustellen als es bislang in den italienischen Opernhäusern üblich war. Befanden sich die Musiker für gewöhnlich auf gleicher Höhe wie die Sitzreihen der Zuschauer im Parkett, so sollte das Orchester nunmehr unter dieses Niveau gelegt, quasi »versenkt« werden. Hier näherte sich Verdi offenkundig den aufführungspraktischen Maßgaben seines deutschen Antipoden Richard Wagner an,

Verdi dirigiert 1880 die Pariser Erstaufführung von »Aida« an der Opéra.

der freilich mit seiner Ansicht vom »unsichtbaren Orchester« noch einen Schritt weitergehen sollte, indem er es im Bayreuther Festspielhaus unter einer Abdeckung vollständig verschwinden ließ und den Blicken des Publikums entzog.

Verdi hat die Urheberschaft dieser Neuerung, die für das italienische Opernwesen einen nicht geringen Einschnitt in die baulichen, akustischen wie kommunikativen Konventionen bedeutete, neidlos anerkannt. Der erwähnte Brief an Giulio Ricordi, der Verdis im Blick auf die geplante Mailänder *Aida*-Premiere bezogene aufführungspraktische Vorstellungen und Forderungen zur Sprache bringt, lässt keinen Zweifel daran: »Der Einfall [des unsichtbaren Orchesters] ist nicht von mir, sondern von Wagner; er ist glänzend. Es scheint heutzutage unmöglich, dass man Frack und weiße Krawatte unter ägyptischen, assyrischen und Druiden-Kostümen duldet; dass man zudem den Orchesterkörper, ein Stück Idealwelt, sozusagen mitten in das Parkett hineinsetzt, völlig in die Welt der Klatscher und Zischer. Dazu das Missliche, dass Harfen, Kontrabässe und der Dirigent selbst in das Bühnenbild hineinragen.«

Verdis zentrale Intention bestand offenbar darin, das Theater als einen Raum zu bewahren, in dem das Geschehen auf der Szene so wirken konnte, als ob es gleichsam real wäre. Nichts sollte den Fortgang des Dramas beeinträchtigen, vor allem sollte der Eindruck vollkommener Illusion nicht mutwillig durch ein allzu deutliches Sichtbarwerden der Bühnentechnik, der Orchestermusiker und des Dirigenten zerstört werden. Daher sollte der gesamte Apparat, der die Aufführung zustande bringt, so weit wie nur irgend möglich im Verborgenen wirken.

Die Künstler am Werk

Die Anforderungen, die bei jeglicher Interpretation der *Aida*-Partitur an die beteiligten Musiker gestellt sind, übersteigen diejenigen der meisten anderen Verdi-Opern – lediglich ähnlich groß angelegte Werke wie *Les Vêpres siciliennes* (1855), *La forza del destino* (1862), *Don Carlos* (1867) oder *Otello* (1887) dürften in vergleichbarer Weise sämtliche Kräfte von Orchester, Chor, Solisten und Dirigenten in Anspruch nehmen.

Zu nennen wären hier in erster Linie die vielstimmig angelegten Massenszenen, die es nicht nur szenisch, sondern auch musikalisch zu koordinieren galt. Verschiedentlich sind hierbei Instrumente auf und hinter der Bühne verlangt, die teils als separate Klanggeber gehandhabt werden, teils mit dem Orchester im Graben zusammengebracht werden müssen. Insbesondere die für Verdi – und für die italienische Oper des

19. Jahrhundert insgesamt – typische *Banda* mit Holz- und Blechbläsern sowie Schlagwerk (dem Verdi bei *Aida* eine besondere Bedeutung beimaß) war möglichst organisch in den von den Gesangssolisten, dem Chor und den Orchestermusikern erzeugten Klang zu integrieren.

Den Gegenpol zu jenen Passagen, bei denen eine große und entsprechend klangkräftige Besetzung verlangt ist, bilden auffallend filigran gestaltete Abschnitte von locker gefügtem Tonsatz und spürbarer Transparenz, wie etwa im Preludio oder in der Schlussszene. Hier sind andere Qualitäten der Wiedergabe gefragt, wie etwa das Halten der Spannung auch bei zurückgenommener Dynamik, das Hervorbringen eines verinnerlichten Ausdrucks oder eine mit feinsten Schattierungen arbeitende Klangdramaturgie. Die zwei Seiten des Werkes – die auf den »großen Ton« hin abzielende Monumentalität und die zarten Farben der privaten Tragödie – bedürfen verschiedener Darstellungsweisen. Nur in einem hochgradig differenzierten Umgang mit den interpretatorischen Mitteln und Möglichkeiten kann die gesamte expressive Bandbreite der *Aida*-Musik adäquat zur Erscheinung gebracht werden.

Neben den Fragen, die mit dem Orchester (einschließlich seiner Aufstellung im Theaterraum) zusammenhängen, hat sich Verdi konkrete Gedanken um den Chor, vor allem um seine Größe und Zusammensetzung, gemacht. Für *Aida* kommt ihm eine besondere Bedeutung zu, da zentrale Szenen der Oper erst durch den Chor ihr Gepräge und ihre Wirkung erhalten. Dabei mag es zunächst – angesichts des in vielen Produktionen üblichen Massenaufgebots an Sängerinnen und Sängern – erstaunlich klingen, dass es Verdi keineswegs für notwendig hielt, mit riesigen Chorstärken zu operieren. Für die italienische Premiere an der Mailänder Scala vom Februar 1872 stattfand, die nach Verdis Vorstellungen eine Art »Musteraufführung« werden sollte, sah er nicht mehr als 80 Sängerinnen und Sänger vor – was angesichts der Bühnenausmaße und der an einzelnen Stellen bekanntlich sehr forcierten Klangintensität des Orchesters nicht unbedingt viel ist. In einem Brief an Giulio Ricordi nennt er zudem genaue Zahlen: Jeweils zwölf erste und zweite Soprane, Altistinnen, Tenöre sowie erste und zweite Bässe sollten das Ensemble bilden, zuzüglich acht weiterer Bässe zur Ausführung der Priesterchöre.

Eine besondere Verantwortung lastete im Umkreis der Mailänder Produktion auf dem Dirigenten Franco Faccio, den Verdi nach anfänglicher Unsicherheit mehr und mehr zu schätzen begann. Da der Komponist die Einstudierung an der Scala überwachte, hatte er direkte Einblicke in Faccios Arbeit mit dem Orchester, die er als äußerst genau, zielgerichtet und produktiv empfand. Nicht zuletzt beflügelt durch den *Aida*-Erfolg entwickelte sich Faccio zu einem der führenden italienischen Dirigenten der Zeit. Verdi schlug ihn für die Leitung seiner Oper in Padua, Ancona, Brescia und an anderen Häusern vor, da er sich sicher sein konnte, dass Faccio in enger Abstimmung mit ihm die anstehenden Darbietungen vorbereitete und »über die Bühne« brachte: Bei ihm sah Verdi das Werk jedenfalls in besten Händen.

Womit sich Verdi im Vorfeld der ersten *Aida*-Aufführungen im Besonderen beschäftigte, war die Auswahl und Schulung der Solisten. Zumindest in den drei Hauptpartien erschienen ihm »erste Kräfte« unverzichtbar, da nur sie den hohen stimmlichen Anforderungen gewachsen waren und die Glaubwürdigkeit der Figuren bezeugen konnten. Im Blick auf die anstehende Premiere in Mailand – die Uraufführung in Kairo lief ja gewissermaßen außer Konkurrenz – kümmerte er sich intensiv um seine Protagonisten, von deren Überzeugungskraft der Erfolg des Werkes wesentlich abhing.

Im Gegensatz zu vielen Rollen in seinen früheren Opern wurden die großen, aber auch die mittleren Partien nicht unbedingt im Blick auf eine bestimmte Sängerin oder einen bestimmten Sänger entworfen. Eine Ausnahme machte hier lediglich die Titelgestalt, die Verdi für die künstlerisch wie persönlich von ihm hochgeschätzte Sopranistin Teresa Stolz schrieb. Verdi hatte sie als Elisabetta in *Don Carlo* erlebt und zeigte sich begeistert von ihren außergewöhnlichen sängerischen Qualitäten und ihrer Bühnenpräsenz. Inwieweit darüber hinaus auch persönliche Sympathien eine Rolle gespielt haben, muss letztlich Spekulation bleiben; fest steht allenfalls, dass Verdi die Partie der Aida zumindest teilweise auf die speziellen Fähigkeiten der Stolz zugeschnitten hat: auf den Wohlklang ihrer expansiven Stimme und auf ihre dramatische Steigerungsfähigkeit ebenso wie auf ihr ausgeprägtes stilistisches Empfinden.

Für die Amneris stellte sich der Komponist einen Mezzosopran vor, der »das Wesen einer Hochdramatischen haben und die Szene beherrschen muss«. Zunächst überwog Skepsis, als ihm vorgeschlagen wurde, die Rolle der jungen und noch wenig bühnenerfahrenen Maria Waldmann zu geben. Die Sorge erwies sich indes als unbegründet, da die Waldmann die he-

Seiner Muse Teresa Stolz vertraute Verdi die Gestaltung der Aida für die Mailänder Premiere von 1872 an.

rausfordernde Partie, welche neben einer guten Höhe und Tiefe in erster Linie ein hohes Maß an expressiver Gestaltungskraft verlangt, bestens meisterte. Nach der triumphalen Mailänder Darbietung wurde sie denn auch für eine ganze Reihe weiterer *Aida*-Vorstellungen inner- und außerhalb Italiens verpflichtet, u. a. auch für prestigeträchtige Aufführungen in Kairo, wo sie von 1873 bis 1876 regelmäßig die Amneris sang.

Von enormem Anspruch getragen ist auch die Partie des Radames. Zwar werden keine absoluten Spitzentöne verlangt, dafür ist die Gesangslinie aber über längere Strecken recht hoch gelagert. Lyrische Emphase wird ebenso gefragt wie heldische Durchschlagskraft – in gewisser Weise ist Radames damit ein Vorgeschmack auf den Otello, der einen echten *Tenore eroico* erfordert. Anvertraut wurde die Rolle dem bewährten Verdi-Tenor Giuseppe Fancelli, der über eine ausnehmend kräftige, höhensichere und klangschöne Stimme verfügte.

Weniger umfangreich und sängerisch brillant ist die Partie des Amonasro angelegt – hier kommt es wesentlich auf eine eindringliche Charakterdarstellung an. Verdi war sich durchaus bewusst, dass ein Bariton, der Hauptrollen zu singen gewohnt war, mit dieser Partie nur bedingt glänzen kann; er war sich deshalb auch nicht vollends sicher, ob der Interpret der Mailänder Premiere, Francesco Pandolfini, nicht womöglich die Lust verlieren und die Gesamtwirkung der Aufführung darunter empfindlich leiden könnte. Die Gestaltung des Ramfis schließlich lag bei Ormondo Maini, dem führenden Bassisten der Scala, der im italienischen Fach genauso zu Hause war wie bei Mozart und Meyerbeer. Mit diesen fünf Sängerinnen und Sängern wurde Verdi ein erstklassiges Solistenensemble zur Verfügung gestellt, das sowohl seinen Beifall als auch den des Publikums fand.

Ideal und Wirklichkeit

Verdi reagierte stets überaus sensibel auf mangelnden Einsatz, Ungenauigkeiten, Qualitätsschwankungen oder auf versehentlich bzw. gar mutwillig herbeigeführte Abweichungen von seinen aufführungspraktischen Idealen. So verwundert es nicht, dass er versuchte, alle Aspekte so weit wie nur irgend möglich zu kontrollieren, entweder durch seine persönliche Einflussnahme direkt vor Ort, in Auseinandersetzung mit den beteiligten Künstlern oder durch das Einwirken von mit seinen Intentionen bestens vertrauten »Statthaltern«. Auch ein drittes, abstrakteres Mittel gab es noch: Rat in der *Disposizione scenica* zu suchen oder aber die zahlreichen mündlichen Verfügungen Verdis ernst zu nehmen, die in Theaterkreisen zur Genüge kursierten.

Wie empfindlich er auf offensichtliche aufführungspraktische Defizite reagierte, lässt sich an diversen Briefzeugnissen ablesen, die an Deutlichkeit nichts zu wünschen lassen. So schreibt er über eine *Aida*-Aufführung am Teatro San Carlo in Neapel Ende Dezember 1872: »Ich wusste von den Schlampereien an diesem Theater, aber weder ich noch andere konnten sich vorstellen, wie es ist. Unbeschreiblich die Ignoranz, die Trägheit, die Apathie, das Durcheinander, der Schlendrian bei allen, in allem und allen gegenüber. Es ist nicht zu glauben! Ich muss sogar lachen, wenn ich bei ausgeruhtem Verstand an all die Mühe denke, die ich mir gebe, an all die Aufregungen, die ich verspüre, an meine Beharrlichkeit, um jeden Preis zu wollen und zu wollen. Mir scheint, dass mich alle anschauen, lachen und sagen: ›Ist er verrückt?‹« Und Verdis Reaktion auf eine Serie von Darbietungen in Rom, die im März 1875 stattfand, lässt sowohl den Ärger als auch die Verzweiflung spürbar werden, die er angesichts geradezu haarsträubender Verfehlungen vonseiten der Sänger und des Dirigenten empfand: »Erschießen!!!! Nicolini ließ immer seine Nummer aus!!! Aldighieri verschiedene Mal das Duett im dritten Akt!! Sogar das zweite Finale wurde an einem Abend gestrichen!!!!!! (...) Abgesehen davon, dass die Romanze nach unten transponiert wurde, hat man auch noch einige Takte geändert. Eine mäßige Aida!! Ein Sopran, der die Amneris singt!! Und noch dazu ein Dirigent, der sich herausnimmt, die Tempi zu ändern!!!«

Es gleicht einem Kampf gegen Windmühlen, den Verdi hier in Angriff nimmt. Wenn selbst führende Opernhäuser (und keineswegs nur die mit beschränkten Kräften arbeitenden Provinzbühnen) nicht imstande sind, ein Werk wie *Aida* in künstlerisch verantwortungsvoller Weise zur Aufführung zu bringen, scheint es um den Zustand der eigentlich so stolzen italienischen Opernkultur schlecht bestellt zu sein. Was Verdi vor allem beklagt, ist ein Mangel an Einsicht in seine Musik und die von ihr ausgehenden dramatischen Effekte, wie in demselben erregten Schreiben aus Rom deutlich wird: »Wir haben es nicht nötig, dass Dirigenten und Sänger daherkommen, um neue Effekte zu entdecken; und ich für meine Person erkläre, dass nie, nie, nie irgend jemand in der Lage war oder es verstanden hat, alle von mir erdachten Wirkungen herauszuholen (...) NIEMAND!! Nie, nie (...) weder Sänger noch Dirigenten!!« Es ist an der Zeit, so Verdi, die Tyrannei dieser beiden Berufsgruppen zu brechen, die es dem Komponisten so schwer macht, seine Ziele zu verwirklichen. Verdis permanentes Interesse an allen aufführungspraktischen Details hat wesentlich damit zu tun, seine Autorität als Künstler zu bewahren und unmissverständlich zu demonstrieren, wem die Gestaltungshoheit obliegt.

Schöne Stimmen, große Emotionen: Sängerinnen und Sänger

In besonderer Weise ist *Aida* eine Oper für Sängerinnen und Sänger. Verdis Werk gibt ihnen ausreichend Gelegenheit, stimmliche Brillanz und gestalterisches Können unter Beweis zu stellen. In erster Linie gilt dies für die drei Hauptrollen, aber auch die mittleren – und sogar die kleineren – Partien ermöglichen eindrückliche Rollenporträts. Trotz der insgesamt eher holzschnittartigen, konventionellen Zeichnung der Figuren, wie sie dem Handlungsentwurf und dem Libretto entsprechend vorgegeben ist, stattete Verdi durch seine Musik die einzelnen Charaktere doch so aus, dass ihnen ein Facettenreichtum zuwuchs, der nicht von vornherein zu erwarten war.

Verdis Partitur war das eine, die individuelle sängerische wie darstellerische Leistung das andere. Dem stummen Notentext Leben einzuhauchen, aus den Schriftzeichen Klang werden zu lassen und Expressivität zu generieren, ist Aufgabe und Herausforderung für jeden Interpreten. Die Gesangspartien von Verdis *Aida* halten eine Fülle von Schwierigkeiten stimmlicher wie gestalterischer Art bereit. Es spricht jedoch sowohl für Verdis kompositorische Meisterschaft als auch für das interpretatorische Vermögen der großen Sängerinnen und Sänger, dass die Partitur immer wieder zum Ausgangspunkt faszinierender Rollenporträts wurde.

Verdi und seine Interpreten

Die Interpretationsgeschichte von *Aida* ist reich an Sängerpersönlichkeiten, die sich mit Erfolg den Partien gestellt haben. Bereits in den ersten Aufführungen wurden Maßstäbe gesetzt. Insbesondere die Gestaltung der Titelfigur durch Teresa Stolz im Zuge der Einstudierung an der Mailänder Scala 1872 hat das Bild wesentlich geprägt. Aber auch die anderen Protagonisten, insbesondere Maria Waldmann als Amneris und Giuseppe Fancelli als Radames, boten überzeugende Leistungen, die auf künftige Interpreten ausstrahlten.

Von Verdi selbst sind Aussagen überliefert, die unmissverständlich deutlich machen, dass es ihm auch und gerade im Sängerischen auf eine möglichst genaue Umsetzung der Partiturvorschriften ankam. Abänderungen oder Hinzufügungen vonseiten der Interpreten, sei es aufgrund von stimmlichen Problemen oder um des puren Effektes willen, trat er mit autoritärer Kraft entgegen – indem er sich auf die »Wahrheit« berief, die jeglichem Gesang und jeglicher Bühnendarstellung innewohnen sollte, besaß er einen Hebel, um seine Solisten zu disziplinieren.

Besonders prägnant hat er seine Ansichten in einem Brief an Giulio Ricordi vom April 1871, mehr als acht Monate vor der *Aida*-Premiere, zum Ausdruck gebracht. Verdi prangert hier das übliche Eingreifen der Sängerinnen und Sänger in ihre Rolle an, in die Melodieführung, aber auch in Tempo, Dynamik und andere aufführungspraktische Parameter: »Das ist genau der Weg, der die Musik am Ende des vorigen Jahrhunderts und in den ersten Jahren unseres Jahrhunderts zum Barocke und zur Unwahrheit geführt hat, als sich die Sänger herausnahmen, ihre Partien – wie die Franzosen heute noch sagen – zu ›kreieren‹ und folgerichtig jede Art von Mischmasch und Unfug anbrachten. Nein: Ich will einen einzigen Schöpfer und ich bin damit zufrieden, wenn man einfach und genau das ausführt, was geschrieben steht! (...) Ich gestehe weder Sängern noch Dirigenten die Fähigkeit zur ›Kreation‹ zu.«

»Aida« in New York

Emmy Destinn (1878–1930) und Enrico Caruso (1873–1921) waren die Protagonisten der legendären *Aida*-Produktion, die am 16. November 1908 an der New Yorker Metropolitan Opera erstmals über die Bühne ging. Es muss eine rauschende Galavorstellung gewesen sein, bei der nicht nur die Sänger vollends überzeugten, sondern auch der Dirigent Arturo Toscanini (1867–1957), der mit dieser Aufführung sein Debüt an der Met gab. Der 35-jährige Tenor hatte dabei keinen leichten Stand, forcierte der italienische Maestro den Orchesterklang doch so sehr, dass Caruso gezwungen war, Gleiches mit seiner Stimme zu tun, wollte er nicht Gefahr laufen, von den Instrumenten übertönt zu werden. So vermerkten die Rezensenten denn auch, dass der Radames des Abends ungewöhnlich kraftvoll gesungen und seine Spitzentöne so lange wie noch nie zuvor ausgehalten habe. Dem Publikum dürfte das recht gewesen sein, auch wenn Caruso – wohl aufgrund der übermäßigen Anstrengung – nach einer *Aida*-Vorstellung Mitte Dezember einen geplanten Auftritt in Mascagnis *Cavalleria rusticana* absagen musste.

Dass die Partie des Radames den Qualitäten von Carusos Stimme entgegenkam und er sie glänzend gemeistert hat, wird auch anhand seiner Grammofonaufnahmen deutlich. Insgesamt siebenmal, zwischen 1902 und 1911, hat er *Celeste Aida* für die Schallplatte aufgezeichnet, dazu kommen noch mehrere Ausschnitte aus dem 4. Akt. Die Schönheit und Expressivität seines Gesangs beeindrucken jedes Mal aufs Neue.

In Arturo Toscanini, der immerhin noch zu Lebzeiten Verdis debütierte (1886 dirigierte er, unverhofft für einen verhinderten Orchesterleiter einspringend, erstmals *Aida* in Rio de Janeiro), besaß dieses Credo unbedingter Partiturtreue einen engagierten Anwalt. Nicht zufällig prägte Toscanini die Interpretationsgeschichte des Werkes in den ersten Dekaden des 20. Jahrhunderts durch viel beachtete Aufführungen an zwei der bedeutendsten Opernhäuser, an der Mailänder Scala und an der Metropolitan Opera New York.

Die Sängerinnen und Sänger, die in diesen Produktionen auftraten, gehörten zweifelsohne zu den führenden Rollenvertretern ihrer Zeit. Berühmt geworden ist etwa die New Yorker *Aida* von 1908, in der die charismatische, stimmschöne und zu großem Ausdruck fähige Emmy Destinn in der Titelpartie zu erleben war. An ihrer Seite sang mit Enrico Caruso der womöglich beste Radames der Operngeschichte. Mit seinem wohlklingenden, ebenmäßig geführten, dunkel timbrierten Tenor, der zu erstaunlicher dynamischer Entfaltung in der Lage war, brachte er ideale stimmliche Voraussetzungen für diese immens schwierige Rolle mit. Mit Louise Homer als Amneris und Antonio Scotti als Amonasro setzte diese beeindruckende Produktion darüber hinaus vokale Glanzlichter und verfügte über starke Bühnenpersönlichkeiten.

Legendäre Solisten

Möchte man einige der Sängerinnen benennen, die in der Zeit bis 1945 als Aida brillierten, so wären dies etwa die italienischstämmige Rosa Ponselle, die in den 1920er- und 1930er-Jahren Triumphe an der Metropolitan Opera feiern konnte, die in Italien wie in Amerika erfolgreiche Claudia Muzio, die von Toscanini geförderte, an allen bedeutenden europäischen Opernhäusern präsente Gina Cigna, und darüber hinaus Jeanne Gordon, Agnes Borgo sowie die etwas jüngere Maria Caniglia, die auch in mehreren Gesamtaufnahmen vertreten ist.

Der legendäre Tenor Enrico Caruso gehörte zu den führenden Sängern des Radames. Das Foto zeigt ihn in einer Aufführung der Metropolitan Opera New York 1908.

Als Radames haben, jeweils auf ihre Weise, Sänger wie Aureliano Pertile (der bevorzugte Scala-Tenor Toscaninis), Giovanni Martinelli, Giacomo Lauri-Volpi und Beniamino Gigli für Furore gesorgt, entweder durch ihre glaubwürdige Rollengestaltung, ihre überwältigende heldische Attacke, die ihre Wirkung nicht verfehlte, oder durch die pure Schönheit ihrer Stimme, die – wie etwa im Falle von Gigli – mit einer glänzenden Linienführung einherging. Eindringliche Porträts der Amneris stammten von den führenden Verdi-Mezzos Ernestine Schumann-Heink, Bruna Castagna und vor allem von Ebe Stignani, die auch in den Jahren nach dem Zweiten Weltkrieg eine maßgebliche Vertreterin dieser Rolle auf den Bühnen der Welt blieb. Lyrisches Empfinden und dramatische Kraft standen ihr in gleichem Maße zu Gebot, wodurch sie geradezu prädestiniert für diese gestalterisch äußerst diffizile Partie war.

Nicht nur personell, sondern auch ästhetisch brachten die 1950er-Jahre spürbare Veränderungen mit sich. Die große Zeit der Operngesamtaufnahmen begann – mit ihr trat auch eine neue Generation von Sängerinnen und Sängern auf den Plan. Zwar hatten nicht wenige von ihnen bereits im vorangehenden Jahrzehnt ihre Karriere begonnen und waren z. T. sogar schon vor dem Krieg aktiv gewesen, gleichwohl wurde ihnen nunmehr internationale Aufmerksamkeit von ganz anderen Dimensionen zuteil. In erster Linie waren es die großen Primadonnen der italienischen Oper, die zu diesen vielfach auch heute noch geschätzten Schallplatteneinspielungen hinzugezogen wurden.

In besonderer Weise sind Sängerinnen und Sänger ins kollektive Gedächtnis eingegangen, die als Protagonisten von sorgfältig produzierten, künstlerisch herausragenden Aufnahmen bekannt geworden sind. In den 1950er-Jahren waren das etwa Zinka Milanov und Antonietta Stella, vor allem aber Renata Tebaldi und Maria Callas, die in gesanglicher Hinsicht die Rolle der Aida neu definiert haben – erstere eher in Richtung lyrischer Empfindsamkeit und stimmtechnischer Souveränität, letztere durch ihre unvergleichliche expressive Emphase und ihren musikdramatischen Instinkt. In den 1960er-Jahren trat mit der Amerikane-

Agnes Borgo als Aida in einer Pariser Inszenierung von 1908.

rin Leontyne Price eine Sängerin hervor, die beide Qualitäten, das Lyrische und das Dramatische, auf hervorragende Weise in sich vereinigte. Wie sie die stimmlichen Anforderungen meisterte und zugleich die Rolle überaus differenziert zeichnete, mit vielen Zwischentönen ausstattete, ist von höchstem Kunstverstand und einer geradezu perfekten Beherrschung des Sängerhandwerks getragen. Etwa zur selben Zeit profilierte sich auch eine Sängerin als Aida, die vornehmlich im Wagnerfach zu Hause war: die schwedische Sopranistin Birgit Nilsson. Auch wenn ihre Stimme über hohe Strahlkraft und blendende Spitzentöne verfügte, so besaß sie doch – etwa im Vergleich zu Leontyne Price, zu Maria Callas und Renata Tebaldi – ein weniger breites Spektrum an Farben und Ausdrucksmöglichkeiten.

Mehr oder weniger heldisch angelegt zeigen sich die Interpretationen des Radames. Zu den Rollenvertretern, die vor allem durch eine enorme expressive Intensität und schier elementare Klangwirkungen überzeugten, gehörte etwa Mario del Monaco. Der Kanadier Jon Vickers hingegen, auch er mit einer großen, dynamisch ausladenden Stimme gesegnet, stattete die Figur mit einem weit höheren Differenzierungsgrad aus, indem er auch den zurückhaltenden, verinnerlichten Tönen Raum und Bedeutung gab. Mit Richard Tucker, Jussi Björling und Carlo Bergonzi sind drei weitere Tenöre genannt, die als Radames überzeugen konnten und nicht umsonst weltweit geschätzt wurden. Ihre Einspielungen gehören nach wie vor zu den »Klassikern« des Katalogs, da bei ihren Rollenporträts Klangkultur, Durchschlagskraft und sängerische Intelligenz gleichermaßen zur Erscheinung gelangten. Und selbst ein bekanntermaßen eher auf seine – in der Tat glänzenden – stimmlichen Fähigkeiten setzender Sänger wie Franco Corelli gestaltete den Radames in einer Weise, die durchaus auch das Gebrochene, »Unheldische« der Figur zur Erscheinung kommen lässt.Und erstaunlicherweise ist er einer der wenigen Sänger, die sich darum bemühen, die Radames-Romanze leise ausklingen zu lassen.

In den 1950er- und 1960er-Jahren fand Amneris in Sängerinnen wie Feodora Barbieri, Giulietta Simionato, Rita Gorr, Marilyn Horne und Grace Bumbry herausragende Verkörperungen. Im darauffolgenden Jahrzehnt war es vor allem die in den lyrischen wie dramatischen Passagen gleichermaßen präsente

Ebe Stignani war eine glänzende Amneris, von ihrem Debüt 1925 in Neapel bis in die 1950er-Jahre hinein.

Fiorenza Cossotto, die auf den Bühnen der Welt (und nicht zuletzt auch auf Tonträger) als führende Rollenvertreterin galt. Als Aida standen ihr dabei Sängerinnen sehr unterschiedlichen Typs und unterschiedlicher stimmlicher Voraussetzungen wie Montserrat Caballé, Mirella Freni und Katia Ricciarelli zur Seite.

Jüngere Vergangenheit und Gegenwart

An diesen Namen ist bereits abzulesen, dass ab den 1970er-Jahren die Tendenz offensichtlich in Richtung einer zunehmend lyrischen Besetzung der Aida ging – merklich schlankere, weniger dramatische Stimmen setzten sich nunmehr als bevorzugtes Ideal durch. Auch die Rolle des Radames war davon betroffen: Dass nicht nur ein vergleichsweise schwerer, robuster Tenor wie Plácido Domingo (der allein an vier Studioaufnahmen der *Aida* beteiligt war) für diese Partie verpflichtet wurde, sondern auch spürbar leichtere Stimmen wie José Carreras und Luciano Pavarotti, spricht für diese Entwicklung, die zu dieser Zeit im Verdi- wie im Wagnerfach zu beobachten war.

Wenigstens summarisch sollen auch jene Sängerinnen und Sänger aufgezählt sein, die in den vergangenen beiden Jahrzehnten an den großen Opernhäusern der Welt Akzente gesetzt haben. Als Aida gefeiert wurden (und werden) beispielweise Ghena Dimitrova, Maria Guleghina, Violeta Urmana, Daniela Dessì, Norma Fantini, Michèle Crider oder Kristin Lewis, Aktivposten als Radames waren (und sind) José Cura, Johan Botha, Michael Sylvester, Roberto Alagna, Salvatore Licitra oder Marco Berti, während sich als Amneris Künstlerinnen wie Waltraud Meier, Olga Borodina, Dolora Zajick, Luciana D'Intino oder Ildiko Komlosi profilieren konnten. Wirklich adäquate Besetzungen für die drei Hauptpartien zu finden, bleibt jedoch eine Herausforderung, da man bei den geforderten Stimmfächern kaum aus dem Vollen schöpfen kann.

Abseits der drei Hauptpartien bieten aber auch die anderen Rollen ausreichend Gelegenheit, besondere stimmliche wie darstellerische Fähigkeiten unter Beweis zu stellen. Wenn auch ein genuiner italienischer Heldenbariton in *Aida* nicht in gleichem Maße wie in *Rigoletto*, *Un ballo in maschera*, *La forza del destino*, *Don Carlo* oder *Otello* zum Einsatz gelangt, so hält doch auch die allenfalls mittelgroße, für die Entwicklung des Geschehens aber ungemein wichtige Partie des Amonasro enorme Herausforderungen bereit. Sänger verschiedener Generationen wie Gino Bechi, Rolando Panerai, Tito Gobbi, Leonard Warren, Robert Merrill, Pierro Cappuccilli oder Leo Nucci haben sie hervorragend gemeistert und scharf umrissene Charakterzeichnungen einschließlich der wirkungsvollen dramatischen Ausbrüche geliefert.

Einschüchternde Bassgewalt ist für die Partie des Ramfis vonnöten: In überzeugender Weise waren hier etwa Tancredi Pasero, Giorgio Tozzi, Nicola Zaccharia, Boris Christoff, Nicolai Ghiaurov, Paata Burchuladze oder Matti Salminen am Werk, die mit ihren jeweiligen gestalterischen Mitteln und Möglichkeiten dieser Figur Profil verliehen. Nicht zu vergessen sind die vergleichsweise wenigen, aber pointierten Beiträge des Königs. Mit seiner stimmlichen Präsenz haben Sänger wie Fernando Corena, Ruggiero Raimondi oder José van Dam Wesentliches für die Gesamtwirkung von Aufführungen und Einspielungen beigetragen.

Festzuhalten bleibt, dass die heutigen Sänger sich – wohl oder übel – an den Leistungen von Künstlern der vorhergehenden Generationen messen lassen müssen. Gewiss ist dies kein einfaches Unterfangen, da nur allzu leicht die Vergangenheit verklärt wird – zu glauben aber, dass die Zeiten der Callas, der Tebaldi oder der Price (geschweige denn jene der Destinn oder Ponselle) wiederkehren könnten, ist müßig. Die Interpretationsgeschichte schreitet voran, sie lässt sich weder aufhalten noch umkehren, obwohl wir natürlich froh und dankbar über die Tondokumente sein können, durch die es möglich ist, erhellende Einblicke in die Kunst der großen Sängerinnen und Sänger aus den vergangenen Jahrzehnten zu gewinnen. Die Künstler der Gegenwart freilich haben sich einer doppelten Herausforderung zu stellen: zum einen die der jeweiligen Partie, die es stimmlich wie darstellerisch zu bewältigen gilt, zum anderen die der Interpretationsgeschichte mit ihren vorliegenden und jederzeit nachprüfbaren Zeugnissen.

Jenseits der Bühne

Der gefrorene Klang: »Aida« auf der Schallplatte

Die prominente Stellung, die Verdis *Aida* im internationalen Opernbetrieb besaß und besitzt, spiegelt sich nicht zuletzt auch in der umfangreichen Diskografie dieses Werkes. Bereits zu Beginn des 20. Jahrhunderts, mithin in der Frühzeit des Schallplattenwesens, hat man damit begonnen, die Oper sowohl in Ausschnitten als auch weitgehend vollständig aufzuzeichnen. Die 1920er-Jahre, in denen die ersten prominent besetzten Einspielungen entstanden, wurden zum Ausgangspunkt einer »klingenden Interpretationsgeschichte«, in deren Verlauf die fortlaufende Auseinandersetzung mit dem Werk dokumentiert ist. Die Entwicklung der Tontechnik – zweifellos ein entscheidender Faktor für die klangliche Präsenz und Wirkung einer Aufnahme – gehört zu dieser Geschichte essenziell mit dazu. Und auch die Unterscheidung zwischen Studio- und Live-Produktionen mit ihren eigenen Möglichkeiten, Chancen und Zwängen ist von Bedeutung, wenn es darum geht, die *Aida*-Diskografie im Blick auf ihre Historie und ihre künstlerische Bedeutung angemessen zu kennzeichnen.

Von der Schellack-Ära bis zur LP

Die besondere Wertschätzung, die man Verdis Oper in Italien entgegenbrachte, wird schon dadurch deutlich, dass zwischen 1920 und 1930 gleich drei Gesamtaufnahmen mit den Kräften der Mailänder Scala produziert wurden, die erste von ihnen noch vor der Einführung der elektronischen Aufzeichnungstechnik. Klanglich befriedigend konnten sie notwendigerweise noch nicht sein, da vor allem Orchester und Chor, zumal in größerer Besetzung, kaum richtig einzufangen waren. Sängerisch jedoch stehen sie auf einem hohen Niveau, insbesondere die Einspielung unter Carlo Sabajno von 1928, die mit einem glänzenden Protagonistentrio aufwartet: mit Dusolina Giannini als Aida, Aureliano Pertile als Radames und Irene Minghini-Cattaneo als Amneris. Diese – und auch die zwei Jahre darauf entstandene Aufnahme unter Lorenzo Molajoli – ermöglicht die Begegnung mit einem Gesangs- und Instrumentalstil, der uns in der Tat fremd geworden ist, da hier aufführungspraktische Gepflogenheiten (etwa auffallende rhythmische Freiheiten) zutage treten, die um einiges näher an Verdis Zeiten als an unserer Gegenwart sind. Neben hohen vokalen Standards bieten sie einen eigentümlichen ästhetischen Reiz: Die Aura des Vergangenen wird spürbar und mit ihr die Ahnung dessen, wie es womöglich geklungen haben mag, als Verdi selbst noch die Aufführungen in seinem Sinne prägte.

Während in den 1930er- und zu Beginn der 1940er-Jahre Live-Mitschnitte (z. B. aus der Metropolitan Opera mit den berühmten Sängern der Zeit) das Bild bestimmten, setzte nach dem Zweiten Weltkrieg die Ära der bedeutenden – und häufig bis heute maßgeblichen – Studioproduktionen ein. Nach und nach begannen die großen Schallplattenfirmen damit, ihrem ständig wachsenden Katalog von Operneinspielungen auch eine *Aida* hinzuzufügen. Ein wahrer Boom entwickelte sich: zum einen aufgrund der Intention, den prominenten (und entsprechend prestigeträchtigen) Dirigenten, Sängerinnen und Sängern die Möglichkeit zu geben, sich in qualitativ hochwertigen Tonaufnahmen zu verewigen, zum anderen dadurch motiviert, auf neue klangtechnische Errungenschaften zu reagieren und sie möglichst sinnvoll einzusetzen. Von der Einführung der Stereofonie am Ende der 1950er-Jahre konnte eine Oper wie *Aida* im Besonderen profitieren, da es nunmehr realisierbar wurde, räumliche Positionierungen zu imaginieren sowie das Orchester und die Stimmen mit einer zuvor noch nicht denkbaren Brillanz und Tiefenschärfe auf die Schallplatte zu bannen.

Die erste, mehrfach wieder aufgelegte Einspielung der Nachkriegszeit wurde 1946 mit dem Chor und Orchester der Oper Rom von EMI verwirklicht – in der Folgezeit sollten gerade diese Klangkörper des Öfteren für Tonträger-Produktionen von *Aida* herangezogen werden. Tullio Serafin, einer der kompetentesten Dirigenten des italienischen Repertoires, sorgte für eine recht zügige, zupackende und von dramatischen Impulsen getragene Aufführung. Da sie auch mit einer hervorragenden Sängerbesetzung (mit Maria Caniglia, Beniamino Gigli und Ebe Stignani in den drei Hauptpartien, dazu mit dem Prachtbariton Gino Bechi als Amonasro) aufwarten konnte, handelt es sich hier um eine gelungene musikalische Umsetzung des Werkes, die durch ihre innere Gespanntheit spürbare Nähe zu einer Vorstellung im Opernhaus besitzt.

In die 1940er-Jahre fällt auch eine Einspielung, die häufig als Referenzaufnahme genannt wird, da ein Dirigent ihr seinen Stempel aufdrückte, den man zu dieser Zeit als zentralen, wenn nicht gar authentischen Verdi-Interpreten ansah: Arturo Toscanini. Als langjähriger künstlerischer Leiter sowohl der Mailänder Scala als auch der Metropolitan Opera, mithin an zwei Häusern, in deren Repertoire *Aida* eine herausgehobene Rolle spielte, hatte er zahlreiche Einstudierungen und Aufführungen geleitet. Erst in der letzten Phase seiner langen Karriere erhielt er Gelegenheit, das Werk, mit dem er als Dirigent debütiert hatte, für die Schallplattenfirma RCA aufzunehmen. Im Frühjahr 1949 wurde *Aida* in zwei größeren Abschnitten mit dem eigens für Toscanini gegründeten NBC Symphony Orchestra aufgezeichnet – im Grunde handelte es sich um eine Aufführung unter Live-Bedingungen, wenngleich im Studio vor Mikrophonen.

CD-Tipps: Historische Aufnahmen

Orchester und Chor des Teatro alla Scala di Milano unter der Leitung von Carlo Sabajno mit Dusolina Giannini (Aida), Aureliano Pertile (Radames), Irene Minghini-Cattaneo (Amneris), Giovanni Inghilleri (Amonasro), Luigi Manfrini (Ramfis) u. a., EMI 1928. ▪ Orchester und Chor des Teatro dell'Opera di Roma unter der Leitung von Tullio Serafin mit Maria Caniglia (Aida), Beniamino Gigli (Radames), Ebe Stignani (Amneris), Gino Bechi (Amonasro), Tancredi Pasero (Ramfis) u. a., EMI 1946.

Der Verzicht auf nachträgliche Korrekturen mag dafür verantwortlich sein, dass diese vielgerühmte Aufnahme an diversen Stellen klanglich etwas unausgewogen wirkt, auch agieren der Chor und die Sängerbesetzung bis auf einige Ausnahmen (etwa Richard Tucker als Radames und Giuseppe Valdengo als Amonasro) nicht unbedingt überzeugend – gerade im Vergleich zu der drei Jahre älteren Serafin-Aufnahme und einer Reihe von Produktionen der 1950er-Jahre sind gewisse stimmliche Defizite unüberhörbar. Was die Einspielung indes auszeichnet und zu einem wichtigen Markstein der Interpretationsgeschichte von *Aida* macht, ist ihre unvergleichliche gestalterische Stringenz, ihre ungeheure expressive Kraft, auch ihr klanglicher Furor. Mittels fast durchgängig ausgesprochen rascher Tempi und eines breiten dynamischen Spektrums erzeugt Toscanini eine schier atemberaubende Spannung, die den Zuhörer, sofern er sich auf das historisch anmutende Klangbild einlässt, vollkommen gefangen nimmt. Viele Passagen erwecken den Eindruck einer lebendigen Theateraufführung, mit allen ihren Unwägbarkeiten, aber zugleich auch mit aller ihrer elementaren Wirkung und musikdramatischen Präsenz.

Der Rundfunk als Aktivposten

Chronologisch folgen auf Toscaninis international geschätzte Version von *Aida* in den 1950er-Jahren eine ganze Serie von Rundfunkproduktionen, an denen Dirigenten und Sänger beteiligt waren, die zum Teil zu den führenden Vertretern ihrer Profession gehörten, zuweilen aber auch – zumindest im Blick auf ihren Bekanntheitsgrad – in der zweiten und dritten Reihe standen. Zu Beginn dieses Jahrzehnts wurden von verschiedenen deutschen Rundfunksendern gleich mehrere Aufnahmen von *Aida* realisiert. Statt auf Italienisch sang man auf Deutsch, wie es an den Opernhäusern im deutschsprachigen Raum damals allgemein üblich war. Den Anfang machte 1951 eine Aufzeichnung des Norddeutschen Rundfunks unter Hans Schmidt-Isserstedt, im Jahr darauf folgte der Hessische Rundfunk mit seinem »Hausdirigenten« Kurt Schröder (eine besondere sängerische Attraktion war hierbei der Auftritt von Max Lorenz als Radames), 1953 war es der Bayerische Rundfunk, der mit Clemens Krauss als musikalischem Leiter eine neue *Aida* produzierte. In diese Reihe gehört auch eine 1951 verwirklichte Aufnahme mit den Wiener Symphonikern unter Herbert von Karajan, die erste auf Tonträger dokumentierte Auseinandersetzung dieses für die Interpretationsgeschichte des Werkes so wichtigen Dirigenten mit Verdis Partitur. Alle diese Einspielungen besitzen in der 1938 veröffentlichten Rundfunkaufnahme mit Chor und Orchester des Reichssenders Stuttgart unter Joseph Keilberth einen Vorläufer. Gewissermaßen ist diese Einspielung die deutsche Antwort auf die zu dieser Zeit verfügbaren *Aida*-Schallplatten aus Italien und den USA. Eine prominente Besetzung, u. a. mit der hervorragenden Margarete Teschemacher in der Titelpartie und mit dem dänischen Tenor Helge Rosvaenge als Radames, der als führender deutschsprachiger Rollenvertreter gelten kann, sollte dieser Aufnahme die nötige Aufmerksamkeit sichern.

In den 1950er-Jahren leisteten indes auch die italienischen Rundfunkorchester ihren Beitrag zur *Aida*-Diskografie. 1951 entstand eine Aufnahme mit dem römischen RAI-Orchester unter Vittorio Gui, die 1956 ein Pendant in einer Einspielung mit dem mit RAI-Orchester Turin unter Angelo Questa fand. Beide Einspielungen bezeugen die hohe Qualität der Verdi-Pflege, ohne dass bis auf einzelne sehr eindrucksvolle Rollengestaltungen (z. B. Rolando Panerai als Amonasro unter Gui oder Franco Corelli als Radames unter Questa) die Sängerinnen und Sänger Außergewöhnliches bieten.

Klassiker der Diskografie

Mit einer wahren Starbesetzung kann hingegen eine noch in Mono gehaltene, aber zumindest klanglich schon spürbar »moderner« wirkende Decca-Aufnahme von 1952 aufwarten, bei der Alberto Erede Chor und Orchester der Accademia di Santa Cecilia Rom leitete. Die ausgesprochen differenziert singende Renata Tebaldi und der durchschlagskräftige, dunkel getönte, aber gleichwohl mit einer farbenreichen Stimme agierende Mario del Monaco gestalteten die Rollen von Aida und Radames, hinzu kam die auch allein vokal sehr charismatische Ebe Stignani als Amneris.

Die Mitte der 1950er- und die frühen 1960er-Jahre markieren insofern eine besondere Phase der *Aida*-Rezeption, als dass in diesem Zeitraum vier Studioaufnahmen erschienen, die zweifellos Schallplattengeschichte geschrieben haben – sie dürften bis heute zu den bekanntesten Einspielungen des Werkes gehören. Und in der Tat sind die Ansammlung bedeutender Sängerpersönlichkeiten, die dirigentischen Leistungen und das Orchesterspiel, aber auch die Klangqualität bemerkenswert. Der herausgehobene Status, den die beiden 1955 eingespielten Aufnahmen besitzen, ist im Wesentlichen den beteiligten Solisten geschuldet, während sich die Dirigenten eher im Hintergrund zu halten scheinen. Sowohl Tullio Serafin (bei EMI) als auch Ionel Perlea (bei RCA) am Pult des Scala-Orchesters sowie des Orchesters der Römischen Oper leiten unaufdringlich, aber bestimmt – und bieten den Vokalkräften eine nahezu perfekte Plattform. Beide Aufnahmen verfügen mit Maria Callas und Zinka Milanov über Sängerinnen, die äußerst konturierte Porträts der Titelfigur zu zeichnen imstande waren. Darüber hinaus standen ihnen mit Richard Tucker und Jussi Björling Sänger zur Seite, die als Radames stimmlich voll und ganz überzeugen konnten. Fedora Barbieri war in beiden Fällen eine präsente Amneris, während Tito Gobbi (bei Serafin) und Leonard Warren (bei

CD-Tipps: Klassiker

Wiener Philharmoniker und Singverein der Gesellschaft der Musikfreunde Wien unter der Leitung von Herbert von Karajan mit Renata Tebaldi (Aida), Carlo Bergonzi (Radames), Giulietta Simionato (Amneris), Cornell McNeill (Amonasro), Arnold van Mill (Ramfis) u. a., DECCA 1958. ▪ Orchester und Chor des Teatro dell'Opera di Roma unter der Leitung von Sir Georg Solti mit Leontyne Price (Aida), Jon Vickers (Radames), Rita Gorr (Amneris), Robert Merrill (Amonasro), Giorgio Tozzi (Ramfis) u. a., DECCA 1962.

Perlea) die Partie des Amonasro mit pointierter Schärfe und dramatischer Wucht bewältigten.

»Luxusbesetzungen« kennzeichnen auch die beiden anderen Einspielungen aus dieser Zeit, die vor allem in klanglicher Hinsicht noch einmal neue Maßstäbe setzten. Herbert von Karajans 1958 gemeinsam mit dem legendären Produzenten der Decca, John Culshaw, erarbeitete Aufnahme schlägt gegenüber den bisherigen Realisationen einen anderen Weg ein, da die Möglichkeiten der modernen Tontechnik so genutzt wurden, dass dem Hörer Klangräume eröffnet werden, die sich auf der Bühne niemals schaffen ließen. Nicht eine Theateraufführung unter optimalen Bedingungen war die Richtschnur für den Dirigenten und den Produzenten, sondern ein idealisiertes Klanggeschehen, das die unterschiedlichen Szenerien möglichst plastisch imaginieren sollte. So wurde etwa das Spiel mit Vorder- und Hintergrund bzw. auf verschiedenen Ebenen – beispielsweise in der Gerichtsszene des 4. Aktes – klanglich so eingerichtet, dass sich ein räumlicher Eindruck ergab. Und auch die Tempelszenen erhielten eine gewisse sakrale Aura dadurch, dass die Musik mit Hall und »Atmosphäre« angereichert wurde.

Karajans Einspielung von 1958 besaß durch die Mitwirkung der Wiener Philharmoniker sowie durch grandiose Protagonisten wie Renata Tebaldi, Carlo Bergonzi und Giulietta Simionato musikalische Glanzlichter – ebenso wie die vier Jahre später gleichfalls bei Decca veröffentlichte Aufnahme unter Sir Georg Solti. Der erfahrene Operndirigent, dessen Hang zu Präzision und einer aus dem Klanglichen herauswachsenden Expressivität auch bei dieser Produktion deutlich wird, konnte auf die wahrscheinlich beste Aida ihrer Generation, auf Leontyne Price, zählen. Mit dem Kanadier Jon Vickers, der Radames als tragischen Helden mit beeindruckender stimmlicher Präsenz verkörperte, sowie der herrisch auftrumpfenden Rita Gorr als Amneris, dem gleichermaßen zu belcantesken wie dramatischen Tönen fähigen Robert Merrill als Amonasro und dem bassgewaltigen Giorgio Tozzi als Ramfis war ein Sängerensemble verpflichtet worden, wie es in dieser Ausgeglichenheit und Güte in neueren Aufnahmen nicht zu finden ist.

Licht und Schatten

Die meisten der nachfolgenden Aufnahmen blieben im Schatten dieser klanglich wie interpretatorisch im Großen und Ganzen überzeugenden Einspielungen. Zunächst trifft das auf die nach Solti erneut mit dem Chor und Orchester des Opernhauses Rom realisierte EMI-Produktion unter der

Leitung des jungen Zubin Mehta von 1966 zu. Trotz einer interessanten, stimmkräftigen Sängerbesetzung (u.a. mit Birgit Nilsson, Franco Corelli und Grace Bumbry) und einem spannungsreichen Dirigat überwiegt der Eindruck des Unausgewogenen. Ähnliches gilt für die Londoner RCA-Einspielung unter Erich Leinsdorf von 1970, die jedoch in Gestalt einer genau aufeinander abgestimmten Sängerbesetzung (mit Leontyne Price, Plácido Domingo, Grace Bumbry, Sherrill Milnes, Ruggiero Raimondi und Hans Sotin in den zentralen Partien) zweifelsohne ihre Qualitäten besitzt. Im internationalen Maßstab kaum bekannt wurde dagegen eine Schallplattenproduktion von 1971 mit dem Chor und Orchester der Nationaloper Sofia unter dem bulgarischen Dirigenten Ivan Marinov mit Julia Wiener in der Titelpartie.

CD-Tipp: Interessante Neudeutung
Wiener Philharmoniker und Arnold Schoenberg Chor Wien unter der Leitung von Nikolaus Harnoncourt mit Cristina Gallardo-Domas (Aida), Vincenzo La Scola (Radames), Olga Borodina (Amneris), Thomas Hampson (Amonasro), Matti Salminen (Ramfis) u.a., TELDEC 2001.

Erst Riccardo Mutis 1974 bei EMI veröffentlichte Einspielung hat wieder größere Aufmerksamkeit gefunden, vor allem durch ihre außergewöhnliche orchestrale Brillanz, aber auch durch die Mitwirkung von Montserrat Caballé als Aida und Florenza Cossotto als Amneris. Weniger Zuspruch erhielt dagegen Herbert von Karajans bei derselben Firma erschienene Aufnahme von 1979, die im Umkreis seiner Bühnenproduktion für die Salzburger Festspiele entstand. Die Entscheidung, einige der Hauptrollen mit eher leichtgewichtigen Stimmen zu besetzen, hat sich – zumindest hier – nicht recht ausgezahlt.

Gespannt war man auf Claudio Abbados Annäherung an *Aida*, hatte der Dirigent doch sowohl im Theater als auch auf der Schallplatte seine besondere Affinität zu Verdis Opern unter Beweis gestellt (nicht zuletzt durch seine gelungenen Einspielungen von *Macbeth* oder *Simon Boccanegra* aus den 1970er-Jahren). 1982 folgte nun *Aida* – mit durchaus neuen Ansätzen und originelle Lösungen. Die Einspielung der Deutschen Grammophon ist zugleich die erste digitale Aufzeichnung des Werkes, was sich vor allem an einem spürbar breiteren dynamischen Spektrum bemerkbar macht. Ein anderes Merkmal ist das ausgesprochen schlanke und gleichsam schlackenlose Musizieren, das gegenüber den Aufnahmen aus den 1950er- und 1960er-Jahren etwas qualitativ anderes ist. Insbesondere die Repräsentationsszenen verlieren alles Pomphafte, ohne indes »zahnlos« zu wirken. Und die lyrischen Passagen bekommen durch den sensibel agierenden Dirigenten einen Zauber, wie er nur selten erreicht worden ist. Wie schon in der Frühzeit der Schallplattengeschichte von *Aida* griff

Abbado auf Chor und Orchester der Mailänder Scala zurück, die er zu einer außergewöhnlich differenzierten Klanggebung animierte. Verglichen mit einigen vorangehenden Einspielungen konnten die Sängerinnen und Sänger hingegen nicht das allerhöchste Niveau halten, wenngleich ihnen wiederholt beeindruckende Momente gelangen.

Ähnliche Einwände, die Vokalkräfte betreffend, sind auch bei Lorin Maazels klanglich opulenter, 1991 veröffentlichter Decca-Aufnahme nicht von der Hand zu weisen. Maria Chiara als Aida und Luciano Pavarotti als Radames können nicht durchgehend unter Beweis stellen, die verschiedenen Facetten ihrer Rollen auszuschöpfen und allen stimmlichen Anforderungen gewachsen zu sein. Immerhin konnte Maazel auf die Mithilfe von Chor und Orchester der Mailänder Scala bauen. Auch das andere große Opernhaus, das die frühe Rezeptionsgeschichte von *Aida* wesentlich bestimmt hat, die Metropolitan Opera, beteiligte sich mit einer modernen Einspielung: 1990 widmete sich James Levine Verdis Meisterwerk. Auch er betonte eher die monumentalen Seiten der Partitur und weniger die lyrischen Partien. Levines RCA-Aufnahme war nach den Einspielungen unter Leinsdorf, Muti und Abbado die mittlerweile vierte Produktion unter Beteiligung von Plácido Domingo, dem führenden Radames ab den 1970er-Jahren, und besaß zudem mit Dolora Zajick eine interpretatorisch besonders profilscharfe Amneris. Kaum prominente Kräfte versammelt hingegen eine 1994 auf den immer stärker ausgeweiteten CD-Markt gekommene Naxos-Aufnahme, die unter der musikalischen Leitung von Rico Saccani entstand. Das National Symphony Orchestra of Ireland spielt zwar zuverlässig, der Dirigent sowie die Sänger können jedoch kaum markante Akzente setzen.

Für eine nicht geringe Überraschung sorgte zum Verdi-Jahr 2001 eine *Aida*-Einspielung, für die Nikolaus Harnoncourt verantwortlich zeichnete. Wohl kaum jemand hatte erwartet, dass sich der Dirigent, der zuvor im Bereich der Alten Musik Meriten erworben, sich aber auch überaus produktiv mit zentralen Werken der Wiener Klassiker und der deutschen Romantik auseinandergesetzt hatte, einmal Verdis *Aida* zuwenden würde. Mit den Wiener Philharmonikern wagte er für Teldec eine Neuinterpretation der Oper, wobei er der Partitur durchaus ungewöhnliche Seiten abgewann. Was Harnoncourts Ansatz auszeichnet, ist – und darin ähnelt er demjenigen von Claudio Abbado rund zwei Jahrzehnte zuvor – ein weitgehender Verzicht auf ein orchestrales Auftrumpfen. Wirkliche Forte-Töne werden bis auf wenige Ausnahmen ausgespart, stattdessen sind die unterschiedlichen dynamischen Grade mit größter Sensibilität ausdifferenziert. Nur an jenen Stellen, wo die Musik offenkundig ins Martialische abdriftet, etwa beim Einsatz der »Aida-Trompeten«, wird der Klang bewusst geschärft und erreicht dadurch eine ungewöhnliche Intensität.

Harnoncourts Interpretation von *Aida*, aus dem Geist des Historismus, der ein vergangenes Denken neu zu beschwören versucht, heraus entwickelt, eröffnet neue Perspektiven für dieses viel aufgeführte Werk. Indem er versuchte, Klangfarben und Wirkungen zu erzielen, die sich vollkommen natürlich, ohne zusätzlich eingebrachte expressive Mittel, aus der Partitur ergaben, fügte er der Fülle an *Aida*-Deutungen einen weiteren Ansatz und eine weitere Facette hinzu.

Rezeption und Resonanz

Von Anfang an war *Aida* ein Favorit des breiten Publikums. Der Erfolg ist dem Werk bis heute treu geblieben. Wer der italienischen Opernästhetik des 19. Jahrhunderts nicht generell abgeneigt ist und Verdi als einen ihrer wesentlichen Vertreter schätzt, wird sich den musikalischen Schönheiten, die sich in bemerkenswerter Fülle vor dem Hörer ausbreiten, wohl kaum verschließen: Die Belcanto-Tradition des Zeitalters Rossinis, Bellinis und Donizettis ist in einzelnen Passagen ebenso spürbar wie ein dramatisch intensivierter, zupackender und damit unmittelbar wirksamer Ausdruck, der spätestens ab den 1850er-Jahren zu seinem Markenzeichen geworden ist. Und selbst jene Opernkenner, denen Richard Wagner über alles geht, dürfte gerade *Aida* ansprechen, da sie manche verwandte Elemente enthält – etwa eine ausgesprochen sensibel vorgenommene (und darum sehr eindrucksvoll wirkende) atmosphärische Tönung einzelner Szenen und Situationen. Die beiden größten Musikdramatiker des 19. Jahrhunderts scheinen sich hier ungewöhnlich nah zu sein.

Aus dieser Nähe, die auch den Zeitgenossen nicht verborgen blieb, erwuchs jedoch auch der Vorwurf, dass Verdi zu sehr in das Fahrwasser Wagners geraten und geradezu zu einem »Wagnerianer« geworden sei. Georges Bizet etwa hat sich in dieser Weise geäußert, etwa im Umkreis der Pariser *Don-Carlos*-Premiere von 1867: »Verdi ist kein Italiener mehr. Er macht Wagner. Er hat nicht mehr seine bekannten Fehler, aber auch nicht einmal mehr eine einzige seiner guten Eigenschaften.« Im Blick auf *Aida* dürfte sein Urteil kaum anders ausgefallen sein. Der im Austeilen von Kritik gewiss nicht sonderlich zimperliche Eduard Hanslick sah sich indes genötigt, Verdi gegen den Wagnerismus-Vorwurf verteidigen zu müssen: »Gewiss hat Verdi, wie jeder moderne Opernkomponist von Verstand, Wagner bedeutende Anregungen zu verdanken, aber in der *Aida* steht nicht ein Takt, für welchen der Italiener dem Deutschen direkt verschuldet wäre.« Niemals hätte Wagner eine Partitur wie *Aida* geschrieben, die unverkennbar ihre Fundamente in der italienischen Operntradition habe.

Ungeachtet aller dieser Grabenkämpfe fasste *Aida* auch auf den deutschsprachigen Bühnen Fuß, in den großen Opernzentren ebenso wie in den mittleren und sogar kleineren Häusern. Auf eine erste Phase in den 1870er- und 1880er-Jahren, die wesentlich von der Neugier auf das Werk mit seinen spektakulären klanglichen Effekten und seinem exotischen Gepräge her bestimmt war, folgte jedoch eine Zeit weitgehenden Desinteresses – die Opern und Musikdramen Wagners waren auf den Spielplänen weit häufiger zu finden. Erst im Zuge der sogenannten »Verdi-Renaissance« der 1920er-Jahre, die vor allem mit dem Wirken des Dirigenten Fritz Busch in Dresden verbunden ist, wurde das Œuvre Verdis wieder verstärkt rezipiert, wenngleich man von einer auch nur annähernden Parität zwischen Wagner und Verdi noch weit entfernt war.

Erinnerungsdruck an die legendäre Pariser »Aida«-Produktion von 1876.

In Italien ist dies die Zeit der monumentalen *Aida*-Darbietungen, die es mit einem geradezu kolossalen Aufgebot an Mitwirkenden und einer noch viel größeren Zuschauerkulisse zu tun haben. Die ab 1913 stattfindenden Aufführungen in der Arena di Verona sind das Paradigma dafür und wurden zum Vorbild für ähnliche Veranstaltungen, die sowohl von der Besonderheit des Ortes leben als auch von der überwältigenden Wirkung, die von den erzeugten Klangmassen ausgeht. Bereits ein Jahr zuvor war Verdis *Aida* bei den Pyramiden von Giseh als spektakuläres Open-Air-Event initiiert worden – die Oper kehrte damit in das Land ihrer Uraufführung und ihrer theatralischen Handlungsorte zurück, wenngleich in anderer Weise und unter anderen Bedingungen als 1871.

Derartige Großveranstaltungen, die bis heute en vogue sind und – nicht selten auch unter Einbezug von Tieren und ihren

Dompteuren – ausgesprochen publicityträchtige Attraktionen darstellen, können als eine wesentliche Seite der Rezeption von *Aida* begriffen werden. Sie ziehen Besucherschichten an, die nicht unbedingt mit den traditionellen Operngängern deckungsgleich sein dürften. Obwohl man positive Effekte durchaus nicht verleugnen sollte – immerhin bieten solche Aufführungen wie jene von 1987 vor dem Tempel in Luxor, den man als »Originalschauplatz« ansah, eine womöglich erste, nachhaltig wirksame Begegnung mit dem Werk –, so liegt doch auf der Hand, dass Verdis Oper dadurch in eine bestimmte Richtung gedrängt wird – fast ausschließlich wird die Rezeption auf die dekorativen Momente verwiesen, auf die äußerlichen Dinge, auf Gigantomanie der Darstellung und bombastischen Klangrausch.

Andere »Aidas«: Comic, Film, Musical

Das große Interesse, das die Oper – oder zumindest das Sujet – gefunden hat, zeigt sich nicht zuletzt auch daran, dass es in andere Erscheinungsformen überführt worden ist. In Italien kursierte *Aida* 1969 etwa als Comic-Strip: Die Macher aus Verona hatten bei ihren Sprechblasen-Texten zu einem gewissen Teil auf das Originallibretto zurückgegriffen, um die Verbindung zur Oper zu verdeutlichen. Das ägyptische Kolorit ist (analog zu den meisten Bühnenproduktionen der Zeit) äußerst detailgenau optisch umgesetzt, das Aussehen der Figuren, einschließlich ihres Gesichtsausdruckes, ist wie aus dem Lehrbuch: Mit der leidenden Aida, der stolzen Amneris, dem unsicheren Radames, dem majestätischen Pharao und dem düsteren Oberpriester begegnen uns Gestalten mit gleichsam archetypischen Zügen.

1953 kam ein *Aida*-Film in die Kinos, der seine Attraktion wesentlich daraus bezog, dass Sophia Loren in der Titelrolle zu sehen war. Regie führte Clemente Fracassi, musikalisch veredelt wurde der italienische Streifen durch die Stimmen von Renata Tebaldi, Ebe Stignani, Giuseppe Campora, Gino Bechi u. a. Als erster Opernfilm, der in Farbe gedreht worden war, wartete Fracassis *Aida* mit spektakulären Bildern auf – nach Art der monumentalen Historienfilme der Nachkriegszeit wurde eine wahre Ausstattungsorgie initiiert, die das alte Ägypten in Breitwandkulisse wieder aufleben ließ. Um bei der üblichen Spielfilmlänge zu bleiben, wurden lediglich einige besonders prägnante Szenen ausgewählt – der Betrachter erlebt Verdis Werk damit nur in Ausschnitten, bekommt die Grundzüge der Handlung aber nachvollziehbar erzählt.

Ein weiterer Film, diesmal aus Schweden, entstand 1987. Claes Fellbom, der an der Stockholmer Folkoperan eine Reihe von Opern insze-

niert hatte, zeichnete für die Regie verantwortlich, darstellerisch verwirklicht wurde das Ganze mit einem schwedischem Cast (u.a. mit Margareta Ridderstedt in der Titelrolle und Ingrid Tobiasson als Amneris) ohne internationale Prominenz. Fellboms *Aida*-Film fußt auf einer Produktion der Folkoperan, wenngleich es nötig war, die Szenenfolge auf normale Spielfilmlänge zu kürzen. Vier Jahre zuvor hatte derselbe Regisseur bereits ein anderes großes Werk der Opernliteratur, Bizets *Carmen*, für den Film adaptiert. Wie schon diese Oper, so wurde auch *Aida* sehr naturalistisch in Szene gesetzt, durchaus im Bewusstsein, dass ein Kinobesucher etwas grundlegend anderes erwartet als das »normale« Opernpublikum.

Erstaunliches Interesse hat ein Musical gefunden, das eher frei mit dem *Aida*-Stoff umgeht. Obwohl Verdis Oper als Basis fungiert, wurde die Handlung teils großzügig abgewandelt. Elton John schrieb die Musik, der Text stammte von Tim Rice, der wiederum auf eine Buchvorlage von Linda Woolverton, Robert Falls und David Henry Hwang zurückgegriffen hatte. Wie es bei einem auf Breitenwirksamkeit angelegten Musical kaum anders sein kann, steht die Love-Story im Mittelpunkt, aber auch der Zusammenprall der

Monumentalität der Nachkriegszeit: Sophia Loren 1953 als Film-Aida, hier mit Luciano Della Marra als Radames.

Kulturen (zwischen den Ägyptern und den Nubiern) ist thematisiert. Zunächst unter dem Titel *Elaborate Lives: The Legend of Aida* 1998 in Atlanta uraufgeführt, wurde das Musical vor allem durch eine Broadway-Produktion aus dem Jahre 2000 bekannt, nunmehr betitelt mit *Elton John's and Tim Rice's Aida*. Tourneen durch die USA sowie nach Südamerika, Europa und Fernost (Japan, China, sogar Philippinen) folgten, die deutsche Erstaufführung in einer Fassung von Michael Kunze fand 2003 in Essen statt. Seither war das Musical an verschiedenen Orten in Deutschland, Österreich und der Schweiz zu erleben, nicht zuletzt auch als gleichermaßen bild- wie klanggewaltiges Open-Air-Ereignis.

Ob als Comic, Film, Musical oder Oper – *Aida* scheint das Publikum immer wieder anzusprechen. Die Resonanz, die dieser Stoff, vor allem natürlich in Gestalt von Verdis bedeutendem Musiktheaterwerk, gefunden hat, ist in der Tat außergewöhnlich. *Aida* besitzt hohen Reiz, da hier eine im Grunde allgemein verständliche Geschichte um Liebe und Tod, Eifersucht und Verrat, Patriotismus und Krieg in exotischer Szenerie und inmitten ferner, nur bedingt greifbarer historischer Kontexte erzählt wird. Um Aufstieg und Fall eines Helden geht es, ebenso um die tragische Verstrickung von zwei auf jeweils ihre Weise starken Frauengestalten in schier unlösbare Konflikte. Da all das keineswegs unaktuell geworden ist, bleibt *Aida* ein dankbares Sujet. Und durch Verdis eindrucksvolle Musik scheint es gesichert, dass die Oper auch in den kommenden Jahrzehnten ihren hohen Rang behalten wird.

Anhang

Glossar

Arioso: Kurzzeitiges Ausbrechen aus dem sprachnahen rezitativischen Stil ins Melodische.

Banda: Bezeichnung einer hauptsächlich aus Bläsern bestehenden (Militär-)Kapelle, in der italienischen Oper auch als allgemeiner Begriff für die Bühnenmusik verwendet.

Belcanto: Wörtlich »Schöner Gesang«, bezeichnet den italienischen Kompositions- und Gesangsstil der ersten Hälfte des 19. Jahrhunderts, der in erster Linie mit den Werken Rossinis, Bellinis und Donizettis verbunden ist und dem Verdi in seinen frühen, mittleren und bedingt auch noch in seinen späten Werken verpflichtet ist.

Cabaletta: Zweiter Teil einer Arie, häufig in schnellem Tempo und mit abschließender Steigerung.

Cavatina: Erster Teil einer Arie, in ruhigem Tempo gehalten; auch Begriff für ein einfaches, kurzes Gesangsstück.

Deklamieren, Deklamation: Die Art und Weise des Textvortrags in der Musik.

Disposizione scenica: »Regiebuch« mit detaillierten Anmerkungen zur szenischen Umsetzung einer Oper.

Finale: Schlusssatz einer Komposition; in der Oper eine durchkomponierte, oft über mehrere Auftritte sich erstreckende Ensemblenummer am Ende eines Aktes.

Grand opéra: Große französische Oper der Romantik mit aufwendigen szenischen Tableaus, opulenter Musik und spektakulären Effekten; die französischen Werke Meyerbeers gelten als Musterbeispiele.

Impresario: Theatermanager, der den künstlerischen Betrieb und die Geschäftsführung eines Opernunternehmens verantwortet.

Introduktion: Erste Nummer eines Opernaktes, oft mit vorausgehender instrumentaler Einleitung, die ohne Unterbrechung in die erste Szene übergeht.

Libretto: Wörtlich »Büchlein«, die Textgrundlage für eine Komposition.

Melodramma: Im 19. Jahrhundert Gattungsbezeichnung für die italienische Oper.

Melos: In der Vokal- wie der Instrumentalmusik das sangliche Moment einer musikalischen Linie.

Parola scenica: Nach Verdis Vorstellung ein »Wort, das einschlägt und die Situation klar und offensichtlich macht«; Sprachstil, der den herrschenden Affekt einer Szene unmittelbar zum Ausdruck bringt.

Preludio: Zumeist kurz gehaltenes instrumentales Vorspiel als Einleitung zu einer Oper.

Rezitativ: Sprechgesang, der bis ins 19. Jahrhundert entweder nur von einem Tasteninstrument oder aber vom Orchester gestützt wurde, häufig dem natürlichen Tonfall der Sprache nachgebildet.

Romanze: Solistische Gesangsszene, meist in strophischer Form und langsamem Tempo.

Synkope: Betonungsverschiebung auf den schwachen Taktteil durch eine Note mit verlängerter Tondauer.

Zitierte und empfohlene Literatur

Abbiati, Franco: Giuseppe Verdi, 4 Bde., Mailand 1959

Bagnoli, Giorgio (Hrsg.): Die Opern Verdis, Berlin 2003

Balthazar, Scott L. (Hrsg.): The Cambridge Companion to Verdi, Cambridge 2004

Bermbach, Udo (Hrsg.): Verdi-Theater, Stuttgart und Weimar 1997

Budden, Julian: Giuseppe Verdi. Leben und Werk, Stuttgart 1987

Busch, Hans: Verdi's *Aida*. The History of an Opera in Letters and Documents, Minneapolis 1978

Casini, Claudio: Verdi, Königsstein / Ts. 1985

Csampai, Attila / Holland, Dietmar (Hrsg.): Giuseppe Verdi: Aida. Texte, Materialien, Kommentare, Reinbek bei Hamburg 1985

Engelhardt, Markus (Hrsg.): Giuseppe Verdi und seine Zeit, Laaber 2001

Fischer, Jens Malte: Große Stimmen. Von Enrico Caruso bis Jessye Norman, Stuttgart 1993

Gál, Hans: Giuseppe Verdi und die Oper, Frankfurt a. M. 1982

Gerhard, Anselm / Schweikert, Uwe (Hrsg.): Verdi-Handbuch, Kassel und Weimar 2001

Gosset, Philip u. a.: Meister der italienischen Oper. Rossini – Donizetti – Bellini – Verdi – Puccini, Stuttgart und Weimar 1993

Jansen, Johannes: Giuseppe Verdi, München 2000

Kesting, Jürgen: Die großen Sänger, 4 Bde., Hamburg 2008, Taschenbuchausgabe Kassel etc. 2010

Marggraf, Wolfgang: Giuseppe Verdi. Leben und Werk, Leipzig 1982

Martin, George Whitney: Verdi: His Music, Life, and Times, New York 1983

Meier, Barbara: Giuseppe Verdi, Reinbek bei Hamburg 2000

Osborne, Charles: The Complete Operas of Verdi, New York 1970

Parker, Roger: The New Grove Guide to Verdi and His Operas, New York 2007

Phillips-Matz, Mary Jane: Verdi: A Biography, New York und Oxford 1993

Rosselli, John: The Life of Verdi, Cambridge 2000

Schreiber, Ulrich: Die erfundene Wahrheit. Das musikalische Welttheater Giuseppe Verdis (1813-1901), in: ders., Opernführer für Fortgeschrittene, Bd. 2, Das 19. Jahrhundert, Kassel etc. 1991, Taschenbuchausgabe Kassel etc. 2010, S. 561-681

Schwandt, Christoph: Verdi. Eine Biographie, Frankfurt a. M. und Leipzig 2000
Springer, Christian: Verdi und die Interpreten seiner Zeit, Wien 2000
Weaver, William (Hrsg.): Verdi. Eine Dokumentation, Berlin 1980

Klavierauszug

Giuseppe Verdi. Aida. Klavierauszug von Joachim-Dietrich Link, Berlin 1970

Abbildungsnachweis

Aalto-Theater Essen: 69 unten
akg-images: 67 oben, 86, 99
akg-images / album: 123
akg-images / De Agostini Pict. Lib.: 66, 110
akg-images / Erich Lessing: 32
akg-images / Mauro Pagano: 96
Archiv der Salzburger Festspiele / Foto Rabanus: 93
Barbara Aumüller: 65
Mara Eggert: 68 oben
Karl Forster: 69 oben, 71 unten, 72
Foto Fainello / Courtesy of Fondazione Arena di Verona: 71 oben
Wilfried Hösl: 67 unten
Opernhaus Graz GmbH / Peter Manninger: 68 unten
Marion Schöne / Stiftung Stadtmuseum Berlin: 70

Wir möchten uns an dieser Stelle bei den Rechteinhabern und den Opernhäusern für die gute Zusammenarbeit bedanken.
Trotz umfassender Recherchen ist es uns nicht in allen Fällen gelungen, die Rechtsverhältnisse einzelner Bilder zu klären. Für Hinweise auf die Rechtsinhaber dieser Bilder sind wir dankbar.